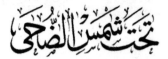

تحت شمس الضحى

بسم الله الرحمن الرحيم

الطبعة الثانية: 2009 م – 1430 هـ
الطبعة التاسعة: آذار/مارس 2017 م – 1438 هـ

ردمك 978-9953-87-626-9

الدار العربية للعلوم ناشرون
Arab Scientific Publishers, Inc.

عين التينة، شارع المفتي توفيق خالد، بناية الريم
هاتف: 786233 - 785108 - 785107 (1-961+)
ص.ب: 5574-13 شوران – بيروت 2050-1102 – لبنان
فاكس: 786230 (1-961+) – البريد الإلكتروني: bachar@asp.com.lb
الموقع على شبكة الإنترنت: http://www.asp.com.lb

لوحة الغلاف: تفصيل من لوحة الفنان **فاتح المدرّس**
تصميم الغلاف: الفنان **محمد نصرالله**

الطباعة: **مطابع الدار العربية للعلوم**، بيروت – هاتف 786233 (9611+)

الملهاة الفلسطينية

IBRAHIM NASRALLAH

UNDER THE MORNING SUN

إبراهيم نصرالله

تحت شمس الضحى

نحن بحاجة لأن نقول لأنفسنا، قبل سوانا:
إننا لم نـزل جميلين، رغم كل سنوات الموت التي عشناها تحت الاحتلال.
بصراحة، جمال كهذا، ولو كان رمزيًا،
يجعل الإنسان يحسّ بأنه كان فوق الاحتلال لا تحته!

الدار العربية للعلوم ناشرون ش.م.ل
Arab Scientific Publishers, Inc. S.A.L

قبل البدايـة

تحت شمس الضُّحى، وأمـام شـجرتَيّ لـوز تظلـلان الـسّاحة التّحتا لبيتها، وعلى مرأى مـن رفٍّ طيـور الـدّوري وبلبلـين يطـاردان بعـضهما البعض في شجرة التين بجانبها.

أمام ذلك الفيض الهائل من الهواء النّقي، الهواء الطَّري النّـاعم، وعـلى مرأى ثلاثين نافذة على الأقلّ، وعشرين صبيًّا عادوا لاكتشاف اللعـب في السّاحة الترابية بعد شتاء طويل.

وقفتْ أم الوليد، المرأة السَّروَة، المرأة ذات الوجه الصغير كوجه طفلـة في العاشرة، ونادت بأعلى صوتها: أبو الوليد!

وحين التفتَ، وهو يسير برفقة عشرةِ رجال بعمره، وتوقَّف الرِّجـال، استدارت العيون كلها نحو مصدر الصوت.

رد أبو الوليد: شو في؟!

فردَّتْ بصوت فاق نداءها الأوّل علوّا: بحبك!

فجأة هبط الصّمتُ، وبدا كما لو أن طابة الأولاد التـي قُـذفتْ للأعـلى ظلَّتْ مُعلَّقةً في الهواء، في حـين توقّـف البلـبلان فجـأة، والتفتـتْ طيـور الدّوري للشُّرفة؛ أما النّوافذ فقد أضحتْ أكثرَ اتِّساعًا بالتأكيد.

- سيجننها ياسين آخر الأمر. قال أبو الوليد للرّجال وهو يهزُّ رأسه؛ ولكنه حين عاد يسير، أحسّ بأن جسده أكثر خفّة بما لا يقاس، إذا ما تذكَّر ثِقَله حين تجاوز العتبات.

وفاجأه أحد الرّجال: هذه لحظة تساوي الدّنيا!

حاول أبو الوليد أن يعرف مصدر الصّوت، التفتَ، فرأى أكثر من رأس يهتزّ، علامة موافقة على ما قيل.

أمّا أمّ الوليد، فقد لبِثتْ تراقبه حتى اختطفه المنعطف من عينيها، وانتظرتْ أكثر، لعلّه يعود للظهور ثانية، رغم أنها تعرف أن ذلك لا يمكن أن يحدث.

عبَّتْ كميّة من الهواء النّظيف الطريِّ، أطلقتْ تنهيدةَ فتاة لم تبلغ العشرين، الفتاة نفسها التي كانتها ذات يوم، وسارت نحو الدَّرجات الهابطة للسّاحة التحتا. رفعتْ غصنَ التِّين برقّة، دون أن تكون مضطرّة لأن تنحني كعادتها، غصن التِّين الذي طالما فكّرتْ أنه يعيق مرورها، وهبطتِ الدّرجات كفراشة جذلى.

وجدته يبتسم، يبتسم بسعادة غير عادية، كلُّ وجهه تحوَّل إلى ابتسامة.

- اقتنعتِ أخيرًا وعملتيها! قال لها ياسين الأسمر.

- أربعين سنة وأنا أحاول أن أقولها، ومش عارفة!

واقتربتْ منه، انحنتْ باتجاهه، حيث يجلس على الكرسيّ، وقبَّلته قُبلة من القلب على خدِّه.

وحينما اعتدلتْ، حينما عادت السّروة لفضائها الواسع، فضاء شمس الضّحى والنوافذ وطيور الدّوري والأولاد والبُلبُلَين العاشقين، قالت: عجيب!! مع أن كلمة (بحبّك) ناعمة وتفرح وحلوة، لكن إذا لم تقلها تصبح على قلبك أثقل من حجر.

سرحتْ بخيالها بعيدًا، وحين عادت، راحتْ تصعد الدرجات خفيفةً كفراشة جذلى.

1

في تلك الليلة الباردة من ليالي نهايات أيلول، كان بإمكان أهالي القرى الواقعة غربيّ رام الله أن يسمعوا بوضوح ذلك التّصفيق المتواصل، الـذي رجَّ هدوء الليل، واستقرَّ مُعَلَّقًا في قبة السّماء كـشعلة نـار أضـاءت تـلالَ المنطقة ووديانها.

لم يكن باستطاعة أحد أن يحدِّد المكان الذي يحدث فيه مـا يحـدث، لأن الذين سمعوه، وأوشكوا أن يروه لفرط حرارته، لم يكن ينتمي لليالٍ مثـل لياليهم.

الجمهور، أهل القرية بأكملها، كان هنالك أطفـال ونـساء، وشـيوخ، ومصابون خلَّفَ الرصاصُ أكثرَ من آثاره فيهم.

لكن ذلك لم يكن وحده الذي يـشير إلى ليلـة مختلفـة في هـذا الفـضاء المفتوح على كل الاحتمالات. ولم يكن أحد يتصوَّر أن هذا الـذي يحـدث، ممكن، مَن شاهد مسرحية منهم من قبل، أو مَن لم يُشاهد.

وحيدًا انحنى الممثلُ فوق الخـشبة التـي أُعِـدَّتْ لتُلبـي أبـسط شروط العرض، وللحظة فكّر أن يواصل انحناءته هذه، إلى ما لا نهاية، أن يثمـل بها، وأن يُحلِّق، وقد أدرك أن الحياة تبدأ الآن، وهو يـتلمَّس لحظـة مـيلاده التي تفوق الخيال.

لم يستطع أن يُشرعَ عينيه اللتين اكتشف أنهما مغلقتان بقوة لا يستطيع معها شيئًا، في وقت انتصبَ الحلم على بعد خطوات منهما؛ وأحسّ بقامته تشدُّه للأسفل أكثر، مع تصاعد التّصفيق الذي أخذ إيقاعًا مختلفًا، ما جعله يدرك أن الأيدي تمضي رافعةً لحظة الانفعال بالعرض إلى لحظة تكريم لم يتذوَّقْها من قبل.

لم يكن واردًا، أن يتواصل المشهد الذي رآه بعينيه المغمضتين إلى ما لا نهاية، كان لا بدَّ من أن يقطفَ زهرةَ هذه الأمسيةِ التي حَلم بها طويلًا؛ وهكذا، راحت نشوته تشدّه للأعلى، وتمضي بقامته إلى مكان يليق به، بين تلك النجوم.

لو أن للخشبة سقفًا، لكان ارتطم به، إلا أن سِحْرَ النّشوة لم يُنْسِه أن العرض يتمّ في فضاء مفتوح، لا تحدّه سوى السّماء الرّمادية العالية؛ وهكذا، ترك لقامته حرية الصّعود أكثر فأكثر. وفي اللحظة التي خُيِّلَ إليه فيها، أنه لامس نجمَ سَعْدِه في الأعالي، أشرع عينيه فجأة، ثم عاد وأغلقهما من جديد بفزع.

كانت ظهور الناس للخشبة، وعيونهم مُتَعلِّقَة بنقطة أخرى بعيدًا عنه، حيث جلس هناك، فوق كرسيٍّ بلاستيكيٍّ أبيض، بمسندين مُجرَّحين، رجل يشبهه كثيرًا. وكان بإمكان القريبين من ذلك الرّجل أن يلحظوا ارتباك يديه، وحركة أصابعه التي تتهجّى الخطوط الغائرة في مسنديِّ الكرسيّ، مُتقدِّمَة مُتراجعة.

فوق الخشبة، كان العالم يدور بلا توقف، خافِقًا الكائنات كلّها في ضباب دوّار، ولم يكن الأمر مختلفًا في أعماق ذلك الرّجل القابع في حضن كرسيِّه؛ الرّجل الذي جلس كطائر مذبوح بخجله متمنيًا أن تنشقّ الأرض وتبتلعه، لكنها لم تكن، بعدُ، مستعدةً لأن تستجيب لذلك النداء-الأمنية الذي يضجُّ فيه.

2

- كأنكَ لا شيء

لا شيء البتّة..

شخصٌ لا يُرى منه سوى ذلك الحِمْلِ الذي فوق كتفيـه، والـدّرجات الصّاعدة التي تحته؛ بقلق تتابع العيون ذلك الشيء الثّمـين الـذي يحملـه، وترتجف خائفة أن يَفسَدَ الأمرُ كلّه بعثرةٍ في غير وقتها؛ وما عليه سوى أن يصعد، يوصل ذلك الشيء إلى حيث يريدون، ويهـبط ثانيـة دون أن يـراه أحد، بعد أن قام بما عليه القيام به.

في الطريق إلى رام اللـه، حيث يسكن سـليم نـصري، لم تكـن أضـواء عربته كافية لأن يرى أيّ شيء، كانت العربة تقوم بما عليها القيـام بـه. أن تحمله بعيدًا عن ليلة لم يكن يحسب لها حـسابًا كهـذا، لم يحـسبْ ممثـلٌ لهـا حسابًا من قبل، أن يكون كـلَّ العـرض، ولا شيء مـن ذلـك العـرض في النّهاية!

قال له ياسين، بإمكانـك أن تنـام عنـدي الليلـة، فالبيـتُ كبـير، وأنـا وحدي كما تعرف. لكنّه أصرَّ على المغادرة، وظلّ يبحث عن مَخْرَج طَـوال السّهرة الثقيلة التي تشعَّبَ فيها الحديث، دون أن يتمكَّن من العثـور عـلى نفسه في أيٍّ من مواضيعه.

رفض العرض بشدَّة، شدَّة لا تليق بتلكَ المحبّة التي بدت في دعوة ياسين الأسمر.

- مجرد لحظة أخرى، كانت كافية لقتْلي، فماذا إذن لو تعلَّق الأمر بليلة كاملة. قال لنفسه في العربة التي انعطفتْ فجأة، كما لو أنها تعرف الطريق أكثر منه.

بوغتَ بالصعود، لكنه تذكَّر أنه لم يسبق له أن قاد السيارة ليلا في هذا الطريق.

قال لياسين: الطريق آمن، وعليَّ أن أتمتع بنعمة وجودي في واحدة من المناطق التي لا جنود فيها، ولا حواجز.

لم يكن مزاجه يسمح له بقول شيء يلامس السّخرية، لا من بعيد ولا من قريب، لكنه حين راح يستعيد الجملة ثانية في العتمة المطبقة، أدرك أنه كان يسعى للوصول إلى منطقته هو، المنطقة الخاصّة به، التي يستطيع أن يقف فيها أمام مرآته، ويرى نفسه، ولا أحد سواه.

حين غادر البيت مساء، قاصدًا العرض الأوَّل، وبعد أن وصل الباب، عاد إلى المرآة، وقف أمامها لحظات، وهمس:

- ها أنذا هنا، بلحمي ودمي.

كان يريد أن يتذكَّر جيدًا، أنه لن يسقط أسير الشّخصية التي يؤدِّيها.

***

- يجب أن يظلَّ شيء منكَ، من شخصكَ فوق الخشبة، وإلّا لن تكون أبدًا. شيء صغير يتيح لك أن تظلَّ مربوطًا بخيط دقيق بنفسك، بحيث يمكنك أن تعود إليها، أن تتجاوز مشكلة صغيرة قد تطرأ فجأة أثناء العرض، خيط يتيح لك أن تدرك ما يدور حولك تمامًا، خيط يُمكِّنك من أن ترتجل، أن تتذكّر حين تنسى، خيط في يدك، حين تسحبه، تستعيد روحك في اللحظة المناسبة من سطوة الدَّور الذي تؤديه. تلك مسافة

أمان، بغيرها لا تستطيع الذهاب لتأدية دور آخر. كممثل، تذكَّر أنك كلُّ أدوارك في النهاية، وحينما تسقط أسيرَ دَوْر ما، وتقول: هذا أنا، فإنك لن تستطيع العودة إلى نفسك، ولن تستطيع لعب أيّ دوْر كبيرٍ مستقبلًا. عليكَ أن تكون نقطة ارتكاز العالم الذي تتحرّك فيه الشَّخصية على الخشبة، هذا هو وعيك، وهذه هي موهبتك في آن، وبغيرهما لن تستطيع أن تكون ذلك الممثل العبقريّ الذي تودُّ أن تكونه!

عند هذا الحدّ، ضحكت المُخرجة المسرحيّة السويديّة، وقد رأت الصمتَ أكثر ثِقلًا من أن يفتَح حوارًا بينها وبين أولئك الذين التحقوا بدورة (الممثل والشّخصية المسرحيّة).

***

حين أقفلَ باب شقته في الدَّور الثالث، كان بإمكانه أن يرى مثل كلّ يوم، أثناء هبوطه الدّرجات، مشهدًا واسعًا من "رام الله" وقد غدتْ ألوان بيوتها أكثرَ عمقًا مع أضواء شمس الغروب.

في الطّريق إلى سيارته، التي كان مضطرًّا أن يوقفها، بعيدًا، مائة متر، عن بوابة العمارة، وجد جسده يفلتُ منه، يتجاوزه خطوات، حتى قبل أن ينتبه هو، صاحبُه، وجد جسده يشقُّ الدَّرب أمامه مُقَلِّدًا رغما عنه مشيةَ ياسين الأسمر.

كانت اللحظة غير قابلة للتّصنيف، غير قابلة للفهم، هل فعَلها برغبته، كجزء من بروفة أخيرة، لم يكن يحبُّ أن يظهر بها بوضوح طَوال فترة التّدريب، محاولة منه ألّا يجرح ياسين، دون قصد، أم أن لا علاقة لها بالدّور أبدًا.

لقد فكَّر أكثر من مرة أن يتناسى مسألة العرَج هذه، أن يؤدي شخصيَّة ياسين، كما لو أن ساقه لم تسقط ضحيّة سجنه الثاني، بعد أقلّ من عام على عودته.

- ألّا يعرج، كانت تعني أنّني أقول لمن تسبَّب له بهذا الألم، إنني أراه كاملًا، لا ينقصه شيء، يعني، أن أقول لمن تسبّب بهذا الألم: إنك غير موجود، وها هو ياسين الأسمر كما عرفناه نحن حينما عاد، كما عرفناه دائمًا، لا الشّخص الذي أعدْته لنا.

استردَّ سليم نصري مشيته من جديد. التفتَ وراءه، لم يكن هناك الكثير من الناس في الشارع.

- هل لاحظ أحد؟

استدار مرّة أخرى. لا شيء يوحي بذلك.

- ساقه جزء من حكايته، جزء مهم لا يمكن أن أُسقِطَه هكذا. ما معنى اقتياده للمعتقل؟ ما معنى تعذيبه؟ هذه المشية تستعيد الحكاية كلّها، كيف دخل المعتقل، كيف خرج منه، وكيف أصبح الآن.

***

- لا مسافة بين جسد الممثل والممثل، إنهما شيء واحد، وإذا ما مضى أيّ منهما في اتجاه معاكس للآخر، يسقط العرض، بأكمله، تسقط فكرة التّمثيل نفسها كفن.

جملة سمعها أكثر من مرّة على لسان تلك المُخرجة.

***

لو كان الناس يأخذون بالوصايا، لتغيَّر العالم منذ آلاف السنين، لغدا على صورة تلك الوصايا، ناصعًا، جميلًا، وكاملًا.

أيقن سليم نصري أنه فقدَ الممثِّل، ولم يستطع الاحتفاظ بالشَّخصية التي أدَّاها.

ظلَّ الغراب الذي قلَّد مشية الحمامة، في النهاية، غرابًا قلَّد مشية حمامة، أما هو فقد أصبح المشية نفسها، حين أحسّ بأنه لم يعد لصورته.

***

كان يمكن أن يكون الأمر كلّه، الآن، في جعبة النّسيان، لو أنه استطاع تقديم المسرحية، قبل قيام الاحتلال باعتقال ياسين من جديد، بتهمة تشكيل خلايا سريّة للمقاومة.

- من يعتقد منكم أن اتفاقيات السّلام التي أعادتنا للبلاد، ستُعيد البلاد لنا، يحلم في الوقت الضائع؛ في الوقت الذي عليه أن يعمل أكثر في هذا الوقت الضائع.

كان يردِّدها كثيرًا، وهي واحدة من أوائل الجُمل التي سمعها سليم نصري منه وكتبها في دفتره الصغير.

- لماذا تكتبُ طوال الوقت؟

- سأقول لك في الوقت المناسب.

بدا سليم نصري واثقًا من مشروعه الذي ولِدَ كاملًا، دفعة واحدة، وقد جعله ذلك أكثر ثقة بنفسه.

- حياتك، أريد تحويلها إلى مسرحيّة، أقصد إلى عمل مسرحي. قال لياسين بعد خمسة أيام، حين وجد نفسه قريبًا منه آخر الأمر.

- مسرحية؟!!

وصمت ياسين الأسمر طويلًا، بحيث غادر الناس كلُّهم، دون أن يقول شيئًا. وعندما التفت، ولم يجد بجانبه سوى ذلك الشّاب الذي لم يكن قد تجاوز الثلاثين من عمره أيامها، لم يزل بجانبه، نظر إليه، وقالها ثانية: مسرحية؟!!

عند تلك الكلمة، انتهى الأمر، أُسدِلَت الستارةُ قبل بدء المسرحية، وظلّتْ مُقفلة؛ ولكنّه لسبب ما، لا يعرفه، ظلَّ يجمع الحكايات التي تُروى عن ياسين من كلِّ أولئك الذين يعرفونه، أو حتى يدَّعون معرفته.

وفي ذلك اليوم الذي أصبح فيه ياسين خلفَ القضبان، صـار بإمكـان سليم نصري أن يذهب في مشروعه مسافة أبعد، فقد أصبح مجرَّد جلوسه مع الخال أبو الوليد، مناسبة لحديث لا ينتهي عن حياة ياسين.

- لقد ربيته بنفسي، فأبوه كما تعرف، قتله الإنجليز، وظلَّ وحيد أمـه، وحينما رزقني الله أربع بنات، كان أخاهنّ، بعد موت ولدنا البِكْـر وليـد، وحتى بعد أن أطلَّ نعيم آخر العنقود. ظلَّ أخاهنّ، إلى ذلك الحدّ الذي لو جاء إليَّ ذات يوم يطلب يد إحداهن، لطردته وتبرأتُ منه، ولـو قالـت لي واحدة إنها تريده، لألقيتُ بها خارج هذا البيت.

***

ذات مـرّة استيقظ سـليم نـصري فَزِعًـا، كانـت حكايـة ياسـين قـد أصبحت بين دفتي دفتره، باستثناء فراغات قليلة، كان يعتقد أنـه يملـك القدرة على أن يملأها، حتـى لـو اضـطرَّ للاسـتعانة بواحـد مـن كتـاب القصة، أو المسرح.

تلك الفكرة التي مرَّت خطفًـا، كرصاصـة جـاءت مـن مكـان بعيـد بصمت، فتحتْ في مخيلته سؤالًا لم يفهم معنـاه: مـاذا لـو حـدث لياسـين مكروه في السجن، ماذا لو قتلوه تحتَ التّعذيب؟!

***

جارًّا قدميه في العتمة كان، عندما سمع صوت ياسين يناديه، ويـدعوه للتوقّف.. فتوقف.

لم يكن سليم نصري هناك، لكـن شخـصًا مـا، يـشبهه، كـان يـسكن جسده. وبـصمت لا يُحتمـل تبِـعَ ذلـك الـصّوت، حتـى وجـد نفـسه في الصّالون الطويل لبيت المهندس كمال.

3

استيقظ ياسين الأسمر على نداء معدته الفارغـة، لـيس يعـرف في أيّ ساعة استطاع النّوم، لقد تقلّب كثيرًا، وفكّـر أن يخـرج للحـوْش حـاملًا فِراشَه، رغم يقينه بأن ليلة باردة مثل هذه الليلة من الصّعب أن يترك المرء جسده أمانة بين يديها.

امتدَّت السّهرة حتى ساعة متـأخرة، في بيـت المهنـدس كـمال، بـدأت بحفل عشاء متقشِّف لم يكن ضمن جدول يوميات العائلة. إذ فجأة وجد المهندس نفسه أسير المسرحية بحضور بطلها، وقبل وصولهم البيت بقليل قفزت يد المهندس متجهةً كرصاصة نحو جبينه، وتبعتْها فرقعـةٌ سـمعها الجميع..

- لقد نسينا الممثل!!

واستدارت عيناه تفتّشان في المكان، وهو يدرك أنهما لن تنجحا. عندها سمعوا صوت ياسين يقول بهدوء: اسبقوني، سأحضره بنفسي.

هادئًا وعميقًا جاء الصّوت، لكنّه في لحظةٍ تقـاطَعَ مـع صـوت الممثـل الذي امتلأ به فضاء الخشبة منذ قليل.

لقد تدرَّب سليم نصري طويلًا حتى وصل لتلك النّتيجة الباهرة، وقد أخافه هذا كثيرًا، إذ إنه كان يعرف بخبراته البسيطة أن اتقانًا كهـذا، ربّـما يكون سببًا في إفساد العرض بأكمله.

ألهذا عادوا للأصل ما إن انتهت المسرحيّة؟!

***

خالية كانت خشبة المسرح حين وصلها ياسين، تلفّتَ باحثًا عـن أثـر لبطل المسرحية، لم يجده، وفاجأه ذلك الـصّمت الـذي غمـر المكـان بهـذه السّرعة، لم يكن ثمة أثر لشيء سوى آثار أقدام غـير مكتملـة، وقـد وطـأ بعضها بعضًا؛ أما الكراسي، فلم يعد لها أثر، إذ عـادت إلى البيـوت التـي جاءت منها بأيدي أصحابها!

أدرك ياسين، أن عليه اللحاق بـه قبـل وصـوله إلى سـيارته، التويوتـا القديمة، الصفراء..

- كيف يحدث أمرٌ مشين كهذا؟ سأل نفـسه، ألّا أشـدَّ عـلى يـده عـلى الأقل وأُهنئه.

لم يكن ياسين من أولئك الذين لا يستطيعون اللحاق بشيء يريدونـه، حتى وهو على هذه الحال.

مُسرعًا انطلق غير عابئ بـساقه المعلَّقـة في نقطـة الألم المريـرة تلـك في أعلاها، لكنّه راح يستحثُّها للّحاق بأختها.

***

في السّجن، عمل كثيرًا على أن يُعيد تأهيلهـا. كـان يؤرِّقـه أنّ أولـئك المحقّقين، سيعيـشون مزهـوّين بالـدّمار الـذي ألحقـوه بجـسده. لكنهـا خذلته، خذلته تمامًا. وفجـأة أحـسّ، أن عليـه إعـادة النّظـر في هواجـسه السّوداء كلّها، حين تذكّر أن هذه السّاق، رغم العذاب الذي عصفَ بها،

لم تتخلَّ عنه. ومنذ ذلك الليل، راح ينظر إليها بصورة مختلفة، كما لو أنها طفل جسده المدلل!

لم تخذله.

في البعيد لمح قامةً، لم يخطر بباله أنها القامة نفسها التي ملأت خشبة المسرح هذا المساء، لكنه حينما اقترب أكثر، أيقن أن الخطأ الذي ارتكبه لا يغتفر. ورغم الليل، كان بإمكانه أن يرى الخطَّ المتَّصل الذي يتبع ذلك الجسد المنهك الذي يعرج، وهو يجر نفسه بصعوبة أمامه.

- سليم.

وقف الاثنان، كما لو أنهما كائنين في طابور مُنهك يقبعان في نهايته منذ أيام، ومرّتْ لحظات طويلة مُحاصرة بالصّمت، قبل أن يستدير الممثّل بوجهه لمن وراءه.

- أين ذهبتَ، كنا نفتّش عنك. كان المهندس سيتبعكَ، ولكنني قلتُ له سألحقه بنفسي.

لم ينكسر الصّمت. أضاف: لا تستطيع رفض طلبي، وبخاصة أننا اليوم شخص واحد!

***

استيقظ ياسين الأسمر على نداء معدته الفارغة، لم يستطع تناول شيء من عشاء أمس، بعد أن راح ذلك النّدم الضّاري يعصف به، حين نسيَ المهندسُ وضيوفُ ليلته الممثلَ بعد قليل من بدء سهرتهم. قرب الباب انزوى سليم نصري، فوق مقعد من مقاعد طاولة الطعام، أسيرًا لتلك الملامح التي أطلَّ بها على الناس من فوق الخشبة، ولم يكن بإمكانه أن يُزيل كلَّ ذلك الشّيب الذي غمر شعره الأسود، أو أن يَخرُجَ من القامة التي سكنته على حين غرّة، قامة الرجل الستّيني الذي أدّى دوْرَه، في الوقت الذي لم يكن سليم نصري قد تجاوز الخامسة والثلاثين من عمره.

الشيء الذي استطاع أن يفعله، هو تغيير ملابسه، في الزاوية التي أُعدَّتْ، خلف الخشبة، لهذا الغرض.

- كان عليّ أن أتركه يمضي، إلى بيته، ألّا ألحقَ به.

بعد ساعة من عُمْر السّهرة، باغته أحد الحاضرين بسؤال لم يكن يتوقّعه: ما رأيك في العرض؟

عمَّ صمتٌ عميق، حين تبين لياسين أنه لا يتذكّر شيئًا، وأن كلّ ما فعله أثناء وجوده في تلك السّاحة التّرابية استراقَ نظرات سريعة لا غير، والفرارَ بعيدًا، بعد إدراكه أن العيون كانت طَوال الوقت تحدِّق في حياته العارية تحت ذلك الضّوء.

***

في ظلمة الطريق إلى بيته عَبَرَ رأسه، مثل طلقة، سؤالٌ آخر لا إجابة له: هل استطعتُ اللحاق به لأنني لم أزل قادرًا على اللحاق بأحد، أم لأنّه كان يسير في الطريق بالخطى نفسها، خطاي، التي قلّدها بإتقان، هنالك، فوق الخشبة؟!

4

أكثر ما كان يؤرق سليم نصري، أنه سيقدم حكاية يعرفها الناس أكثر منه، لأنهم أهل بطلها، جيرانه، أهل قريته.

- ما الذي يمكن أن يُقال في شيء قيل.

فكر وأجاب: تلك هي المسألة!

لكن ذلك لم يُطوِّحْ به بعيدًا عن هدفه.

ثمّة شيء غريب يتحرّك داخله، شيء أكثر عمقًا من أن يكون هناك عرض مسرحي يكتبه بنفسه، ويؤديه بنفسه، ويخرجه أيضًا بنفسه، وتكون بطولته له وحده..

(مونودراما) لا تتجاوز السّاعة وربع الساعة طولًا.

هذا أفضل ما يمكن أن يُقدِّمه، بخبرته، وتاريخه المسرحي.

لقد سبق له أن شاهد محمد البكري بمفرده يقدِّم (المتشائل) في القدس، وأحبّها، رغم طولها الذي تجاوز السّاعتين؛ لكن (المتشائل) شيء آخر؛ ثمّة سخرية بارعة تكفي لتثبيت الناس ضعف هذا الزّمن فوق مقاعدهم، وخبرة ممثل لا يعرف المسرح وحده بل السينما أيضًا.

كانت المسألة أكثر تعقيدًا، لأنه، وطوال السّنوات الماضية، لم يكن قد أدرك بعد، أنه واقع تحت سحر شخصية لا يعرف إن كان يريد أن يؤدي دوْرها فوق الخشبة، فحسب، أم في الحياة؟!

حبّه لياسين الأسمر كان كافيًا لدفعه لفعل أيّ شيء. هو الذي لم يكن بحاجة لشيء أكثر من حاجته لتجربة أعرض. صحيح أنه أعتُقِلَ، وضُرِبَ وأُطلق سراحه، وشارك في إلقاء الحجارة أكثر من مرّة قبل الانتفاضة الأولى وخلالها، لكن ذلك الأمر جزء من حياة الجميع، وعاشه الجميع.

***

كعادة كثير من الكتّاب لم يفكر بعنوان للمسرحية عندما بدأ التفكير فيها، ولم يخطر بباله أن المسرحية بحاجة لعنوان، حتى بعد أن قطع شوطًا طويلا في بحثه عن حلول إخراجية تنقلها من الورق إلى الخشبة.

كان اسمها (المسرحية) ولا شيء أكثر. وقد اكتشف أن هذا الاسم الذي لا يدلُّ على شيء محدَّد، كاف للدَّلالة على عمله، أكثر بكثير مما يمكن أن تدلَّ كلمة (ممثل) عليه هو!

تأثير الدّروس التي تلقّاها، على يد الفريق السّويدي، سكنه بقوة، ربما لأنها أول وآخر دروس تلقّاها، باستثناء ملاحظات قليلة وجِّهَتْ إليه، من مُخرجين مختلفي الاتجاهات، أثناء عمله في مسرحيات متباعدة، أدّى أدوارًا صغيرة، أو لا بأس بها، فيها.

تحويل حياة ياسين الأسمر إلى حياة فعليّة، وليس مجرد كلمات تصفها، كان الفكرة الأكثر أهميّة، والتي فتحت له أبواب عمله.

لقد ألقى أمرٌ كهذا، فيما بعد، أعباءً ثقيلة على جسده كممثل، وازدادت الأعباءُ ثِقلًا، حين أصبح لِزامًا على هذا الجسد أن يسير بنصف توازنه، أن يعرج في لحظة، وأن ينسى في لحظة تالية ذلك، حين يتقمّص،

21

خطفًا، شخصيّة أخرى كانت جزءًا أساسًا من حياة ياسين الأسمر، أو حين يتقمّص ياسين الأسمر قبل اعتقاله الأخير.

لكن ذلك لم يكن سوى بعض المشكلة، لأن المشكلة لم تكن قائمة تمامًا في فهْمه للمسرح، حسب ما تعلَّم، ولكن في عدم قدرته على الإبقاء على ذلك البرزخ الضَّيق بين دوْره وشخصيته، اللذين راحا يختلطان، دون أن ينتبه لهذا، حتى، بعيدًا عن الخشبة.

الدّيكور الذي لا يشير إلى شيء، الدّيكور المُتحرِّر من المكان والزمان، وتقلّبات الفصول، المتحرِّر من فائض الإضاءة، وجد حلوله في كتاب بريخت (نظرية المسرح الملحمي). لم يكن عليه سوى الوصول إلى (مركز عقل)، في شارع المنارَة، حيث مكتبة دار الشّروق، وهناك وجدها، نسخة قديمة، حين راح يُقلِّبها، أوشكتْ أن تُصبح نصفين، فقد انكسر كعْبُ الكتاب من الداخل، مُسفِرًا عن ذلك الصّمغ الجافّ ذي اللون العسليّ.

لم ير ضرورة لإعادة صياغة النّص من جديد، حين اكتشف أن كثيرًا من وصايا بريخت تتلاقى مع وصايا الفريق السّويدي. لكنه لم يستطع أن يتحدّث عن ياسين الأسمر بصيغة الغائب، كما أوصى بريخت (إن استخدام صيغة الغائب والزّمن الماضي يمنح الممثل إمكانية مراعاة المسافة الضروريّة التي تفصل بينه وبين الشخصية)، فالنص، ومنذ البداية كُتب بصيغة المتكلِّم، كما لو أن ياسين الأسمر هو الذي سيتقمَّص جسد سليم نصري فوق الخشبة، لا العكس.

- ليسقط بريخت -مع احترامي الشّديد- وحرصه على المسافة الفاصلة أيضًا.

***

ولكن لماذا لم ينجح؟

لماذا استدارتْ وجوه الجمهور إلى تلك الزّاوية التي أصرَّ ياسين أن يُشاهد المسرحية منها. بمن فيهم أولئك الذين اكتظَّ بهم الصفّ الأوّل، الذين يرون بأن أهميتهم كانت تؤهلهم لاحتلال المقدِّمة.

إخفاقٌ مرٌّ كهذا، لم يجعله يتراجع عن هتافه، ضد "بريخت"؛ وقد أحسّ بأنه على حق، حينما التمعتْ في مخيلته، بعد لحظات، فكرة، أحسَّها، فذةً، ورآها مجسَّدة أمامه تعدو برشاقة غير عادية تحت أضواء العربة، وقد تحوَّل الإسفلت الأسود إلى خشبة مسرح لا تنتهي.

- لماذا لا أُحرِّر الجمهورَ من شخصية ياسين الأسمر، بدل أن أُلقي بهذا العبء على نفسي؟!

***

حين فتح باب شقته، لم يكن متأكِّدًا مما إذا كان العرض المسرحيّ هو الذي هدّ جسده، أم شيء آخر؛ وفي العتمة حاول أن يتذكّر، بينما الباب مشرع وراءه، الطَّريقةَ التي صعد بها الدّرج، هل صعده بقدميه هو أم بقدمي ياسين؟!

امتدّت يده كعادتها، أشعلتِ الضّوء، فوجد نفسه وجهًا لوجْه مع (جورج وسّوف)، مطربه المفضل، وقد أطلَّ وجهه من مُلصق ألبومه (ليل العاشقين)، وعندما وصل غرفة نومه، كان جورج وسّوف هناك في انتظاره أيضًا، بصورته التي طلبَ من أحد محلات التّصوير تكبيرها بعد أن رآها تُزيِّن غلاف ألبومه (طبيب جرّاح)!

بدأ بخلع ملابسه، وفي شبه عُرْيه ذاك، أعاد طرح سؤاله من جديد: لماذا لا أحرر الجمهور من شخصية ياسين الأسمر، بدل أن أُلقي بهذا العبء على نفسي؟!

وكما لو أنه سقط من السماء ناضجًا، كتفاحة نيوتن، تجسد الحلُّ أمامه، فكرة كاملةً من لحم ودم، فصرخ: وجدتها!

5

عام الانتفاضة الأولى، أنهى سليم نصري تعليمه في معهد المعلمين، راح يبحث عن وظيفة، رغم إدراكه التام أنها غير موجودة، فالتلاميذ تبعثروا، وتبعثرتْ معهم مدارسُهم، وأضْحى الوصول إلى غرف الصّف، أكثر صعوبة من معجزة بقاء البشر أحياء حتى صبيحة اليوم التالي. لكن وجود ثلاثة أخوة له في الكويت، كان كافيًا لمواصلة الحياة دون عَناء.

في آخر كلِّ شهر، يمرُّ على البنك في شارع القدس، يجدها هناك، في حسابه، حوالة مالية تكفي أسرة من أربعة أشخاص، وهي الحوالة التي كان يتلقّاها طَوال فترة وجوده في معهد المعلمين، وتضاعفت مع تصاعد حسِّ أخوته، بأن هذا أقلّ ما يمكن أن يقدِّموه لأخيهم في وقت كهذا.

لم يكن أبوه وأمه بحاجة لشيء، فلديهم كرم زيتون في القرية يكفيهم، لكن أخوته أيضًا لم يُقصرِّوا، وقد أسرَّت له أخته الوحيدة المتزوِّجة، أنهم يرسلون لها دفعات مالية شبه منتظمة: وهذا ما يجعلنا قادرين على العيش. حسب قولها.

كلّ خططه التي كان أعدَّها، قديمًا وحديثًا، ذهبت أدراج الرّياح، ومنذ البداية، مرَّةً باعتراضات الأهل، ومرَّةً باندلاع الانتفاضة. لكنه لم يفقد الأمل، وظلَّ ذلك الحلم البعيد يعاود طرْق أبواب روحه: أن يكون مُطربًا

معروفًا. تتبَّع أخبارَ المطربين، فلم يملأ عينه سوى سلطان الطّرب جورج وسّوف الذي يستحقّ لقبه وأكثر باعتباره الأكثر قربًا من أجواء أغانيه!

***

حين طال بحثه عن وظيفة، وأصبح التنقُّل بين "رام الله" وبيت العائلة صعبًا، قرّر استئجار شقة في عمارة من أربعة طوابق، وقد مرَّ زمن طويل، ولا أحد في البناية سواه.

ذات يوم هاتفه وكيل صاحبها المغترب في "تكساس": لم لا تشتري الشُّقة التي تسكنها، سنبيعك إياها بسعر يعجبك؟

تردّد، وحينما سمع الرَّقم، قرّر شراءها فورًا، وهو يعرف، أنه لم يأخذها بسعر كهذا، إلا لأنّ صاحبها، الذي بناها كاستثمار لم ينجح، يرى فيه أفضلَ حارس لبناية خالية!

كان لديه ما يكفي في رصيده، الذي تراكم بصورة تدعوه لأن يُعجب بنفسه، ولكنّه طلب من أخوته أن يُرسلوا له ما يساعده على شرائها، فلم يُقصِّروا؛ لأن مساعدته في شراء الشُّقة، كانت تعني شيئًا واحدًا بالنسبة لهم: دعم صموده.

وصمد..

لكنه لا يستطيع القول إن الأبواب قد فُتحتْ له قبل أوسلو. فقد أمضى ثلاثَ سنوات من حياته، لا طعم لها ولا رائحة، حتى وجد نفسه في مكتب للدِّراسات تُديره شخصية مرموقة ذات علاقات واسعة ويناديها الجميع: الدكتور. كما لو أن اللقب هو الاسم الذي كان في انتظاره منذ لحظة مولده.

أبدى سليم نصري حماسًا لافتًا لعمله، وأثبت قدرة فائقة على جمْع أكبر عدد من الاستمارات المتعلِّقة بعشرات المواضيع السّاخنة، بدءا من

تأثيرات الانتفاضة على المستوى التعليمي لطلبة المدارس، وليس انتهاء بالتوجّهات السياسية للرأي العام الفلسطيني.

قبل ثلاثة أيام من نهاية الشّهر، يقوم الدكتور بصرف رواتب العاملين في المكتب، والمتعاونين معه. وقد كان الاتفاق غير المعلن، أن يوقِّع كلٌّ منهم أمام مبلغ من المال، ويحصل على ستين بالمائة منه!

- أحسن من بلاش، كان سليم نصري يردِّد، ويمضي بالمبلغ فرحًا.

لكن الدكتور لم يُقصِّر، إذ فتح له أبواب المسرح، حين رشّحه للقيام بدور في مسرحية غنائية للأطفال يُموِّلها المكتب. وللحظة، أوشك سليم أن يطلب من الدكتور أن يسمح له بالغناء في المسرحية، إلا أن جرأته خانته.

- سأكتفي بالتّمثيل، ربما كان فيه مستقبلي دون أن أعرف. همس لنفسه.

ورغم الفشل الذريع الذي حققته المسرحية، بسبب الحصارات والإغلاقات، وأوامر حظر التجوّل، وأشياء تتعلّق بنصِّها وإخراجها، إلّا أن أحدًا لم يسمع الدكتور يتذمَّر.

- سنعرض، حتى ولو لطفل واحد فقط. ذلك هو واجبنا!

المفاجأة التي كان يمكن أن تُطيح بالمسرحية، كانت ذلك الخبر الذي وقع كالصاعقة على رؤوس فريقها، إذ بعد ثلاثة أيام من بدء العروض استشهد ذلك الطفل الذي كان يؤدي دوْر العصفور الكسول. لكن الدكتور، فاجأ الجميع، وسط دموعهم، برباطة جأش غير عادية:

- هذا الشّعب ضحى دائمًا، وسيُضحّي، وإذا كان من كلمة لا بدَّ من أن نقولها، الآن، في وجه قوات الاحتلال، فهي أننا سنواصل المشوار، سنواصل المشوار، سنواصل المشوار! لا من أجل دم ذلك العصفور الذي فقدناه اليوم، بل من أجل كلّ العصافير الصّغيرة في هذا الوطن!

تلك الليلة ارتبك العرض، لم يعرف سليم نصري أيّ عصفور سيصطاد، وهو يلعب دوْر الصّياد الذي كانت فريسته كلّ ليلة ذلك العصفور الكسول.

- افعلْ أيَّ شيء، الليلة، حتى أجد الحلّ. قال له المُخرج. وفي الليلة الثانية، كان عليه أن يُلاحق العصافير الصغيرة كلّها، إلى أن يتمكّن من إصابة أجملها، لكن ذلك العصفور يتمكن من الهروب بمساعدة بقية أصدقائه!

***

بالطَّريقة نفسها التي يقبضون رواتبهم فيها في المكتب، انحنى سليم نصري ليوقِّع إلى جانب رقم، هو مكافأته، ويستلم مبلغًا آخر أقلّ بكثير. دون أن يشكّ لحظة في أن المخرج، ومؤلف النص وكاتب الأغاني وملحّنها، قبِلوا بالأمر مثله.

أما الصّغار فقد اكتفوا بالهدايا التي قام الدكتور بشرائها لهم بنفسه؛ وتوقَّع البعض أن تكون هناك هدية للعصفور الشّهيد؛ انتظروا طويلًا، لكن الهدية لم تظهر. عندها التقط الدكتور ما كان يدور في رؤوسهم، طأطأ رأسه، ومن بين دمعتين قال: لم أنسه، لم أنسه أبدًا، ولكنني لا أريد أن أُفتِّح جراحَ أهله بهدية ستتحوَّل إلى ذكرى أبديّة مؤلمة!

***

بعد سبعة أيام، سمع الدكتورُ سليم نصري يدندن بواحدة من أغنيات المسرحية، وعندها صاح: كيف لم تخطر ببالي فكرة كهذه؟ سننتج شريطًا يضمُّ أغاني المسرحية، نطبع منه خمسة آلاف نسخة، كبداية، ونُوزِّعه مجانًا في المدن والقرى والمخيمات.

***

- أنجزْ ما عليك، وعُدْ للمكتب قبل الثانية ظهـرًا. أحتاجـك في شيء مهم. قال له الدكتور بعد مرور ثلاثة أيام على سماعه الدَّندنة.

وصل سليم نصري قبل الموعد بعشر دقائق، قال له الـدكتور: الحمـد لله أنك جئت أبكر، إذ لا يُعقل أن يسبقونا للقاء نحن أردناه!

وجد سليم نفسه في المرسيدس البيضاء مثل الحمامة، غارقًـا في كـرسيّ الجلد، وسارحًا في فخامتها التي تحيط بـه، المرسـيدس التـي كـان يخشى المرور قربها لفرط جمالها!

في الطريق بدا الدكتور متلهِّفا إلى حدٍّ لم يألفه سـليم فيـه. وحـين أدار مفتاح الراديو، بزغت أغنية عبد الحليم حافظ في موعدها تمامًا:

اسبقني يا قلبي اسبقني

عا الجنة الحلوة اسبقني

اسبقني وقول لحبيبـي

أنا جاي عا طول يا حبيبـي

- تعرف، إنك وجه سَعد! قال الدكتور. وقبل أن يـصحو سـليم مـن المفاجأة أضاف: بفضلك بزغت هذه الفكرةُ التي نمـضي لتحقيقهـا الآن. لو لم أسمعْك تُدندن، لما خطرتْ ببالي أبدًا.

- كان عليَّ أن أؤمن بنفسي أكثر! همس سليم في سرِّه. ثم تجـرأ وسـأل الدكتور: أعجبك صوتي؟

- لم تفهمني، صوتك ليس هو المُهم، بل الفكرة التي استوحيتها منه.

- أتعني ألّا مستقبل لي في الغناء؟

- مستقبلك في التّمثيل. قال له الدكتور بغضب. وأضاف: هـل تريـد أن تشكِّك فيما اخترته لك؟!

- لا. أجاب سليم مرتبكًا.

بعد صمت، امتدَّت يد مرتبكة نحو الدكتور، كانت تحمل شريط أغنيات.

- ما هذا؟

- جورج وسُّوف.

- مَن جورج وسّوف؟

- سلطان الطرب.

- مغني يعني. وتحمله معك.

هز سليم رأسه: مثالي الأعلى!

- وتُريد أن تسمع مثالكَ الأعلى في السيارة هنا، معي؟!

- ليس أقلّ من عبد الحليم!

- ربما كان أحسن من عبد الحليم أو أسوأ، هذا لا يعنيني؛ الآن ضعْه في جيبك، وحين تعود للكاديلاك بتاعتك تسمعه وحدك!

***

في باحة موقف للسيارات في شارع الملك داود في القدس الغربية أوقف الدكتور سيارته.

- سنمشي قليلًا حتى المطعم. الأمور هادئة والطقس جميل.

وصلا، ألقى الدكتور نظرة واسعة، باحثًا عن وجه يعرفه، وحين لم يجد قال: الحمد لله وصلْنا قبلهم.

- حجزنا طاولة لخمسة أشخاص باسم الدكتور...

وقبل أن يذكر اسمه كان النّادل يشير إلى طاولة هناك في الواجهة المُطلّة على الشارع.

لم يتأخّر الآخرون، أربعة كانوا، وقبل وصولهم، امتدتْ يدُ الدكتور إلى جيبه، ناول سليم مفاتيح السيارة، وطلب منه أن يُحضر له حقيبته من صندوقها.

اندفعوا يصافحون الدكتور بحرارة، ولم يبخلوا بابتسامات سريعة وهزّات متتالية من رؤوسهم تحيةً لسليم وهو يغادر.

حين عاد وجدهم يضحكون بصوت عال، امتدّتْ يده إلى الدكتور بالحقيبة، وعندما راحتْ عينا سليم تبحثان عن كرسيّ، سمع صوت الدكتور: يُمكنك أن تنتظرني هناك، حتى أنتهي!

تراجع سليم نصري، وقبل أن يعرف أين ذلك (الهناك) بالتّحديد، كان النّادل يقوده إليه.

***

حادثة مثل تلك، كان يمكن أن تتركَ أثرها عميقًا في نفس سليم، لكن ذلك لم يحدث، إذ ما إن انتهى غداء العمل، وغادر الضّيوف المطعم، دون أن ينسوا أن يرسلوا إليه ابتساماتهم، وهزّات رؤوسهم بلطف نادر، حتى أشار له الدكتور أن يقترب.

- وجهك سَعد. همس له بانشراح. ستكون لك مكافأة خاصّة.

وقف الدكتور، تاركًا حقيبته فوق المقعد، وعندما وقعتْ عينا سليم عليها، تناولها، وراح يتبع مديره، دون أيّ ضغينة.

***

لم تتحسّن أحوال الدكتور بمجرد إنتاجه لذلك الشّريط الذي طُبِعَ في تل أبيب (لضمان جودته)، كما نصت الاتفاقية، ولا بسبب المبلغ المتوفّر من طباعة خمسة آلاف نسخة، لم تكن في الحقيقة سوى مئتين، ولكن لأن المشاريع انهمرت فجأة، ولم يكن عليه سوى أن يحصد حقلًا هائلًا لم يسبق له أن زرع أيَّ شيء فيه.

– تنجح في عمل كهذا، حين تكون قادرًا على زراعة الوهْم. وصدقني، هؤلاء الأمريكيون والأوروبيون لا يريدون منّا الكثير، أرقامًا، وتحليلات تغصُّ بها الصّحف اليومية، ويريدون أسماء مشاريع براقة متفائلة بالمستقبل!

سمع سليم نصري الدكتورَ يقول هذا ذات يوم، وهو يحاول إقناع شاعر معروف بالانضمام إليه: قِطاع الثقافة بحر، بحر من المشاريع، لا حدود له. صدِّقني!

***

بعد نجاح الدكتور بإقناع أصدقائه الأجانب، بإنتاج خمسة آلاف شريط جديد، وبمناسبة مرور عام على عمل سليم معه، قرر أن يمنحه زيادة تسرُّه.

انحنى سليم ليوقِّع بجانب المبلغ. ظنّ في البداية أن خطأ ما قد حصل، إلا أن الدكتور هزّ له رأسه مبتسمًا، ومُشجعًا، لقد منحه اثنين بالمائة زيادة، بحيث أصبح بإمكانه أن يحصل على اثنين وستين بالمائة من المبلغ الحقيقي؛ وبعد سنوات طويلة من العمل، سيتمكن من انتزاع سبعين بالمائة من الرّقم الفعليّ.

اتفاقية صامتة، لا يستطيع سليم أن يقول إنها غير عادلة، لأنها تمتْ برضاه، ولأن الأهمّ منها، كما سيتبين له، هو تلك الخبرة المسرحية التي حصل عليها على أيدي الفريق المسرحي السّويدي الذي أحضره الدكتور لتقديم خبراته لمسرحيين فلسطينيين شباب.

تجربة سليم في مسرحية الأطفال تلك، لا يعتزُّ بها، ولذا، لم يحاول أن يطرق أبواب المسرح مرّة ثانية، لكن القدَر هو الذي قاده مرّة أخرى إلى الخشبة، حين أحسّ الدكتور أن عدد الملتحقين بالدّورة، لا يتناسب مع المبالغ المخصّصة لها؛ وهكذا، طلب منه ومن سكرتيرته، التي لا تفعل في

الحقيقة شيئًا سوى استقبال المكالمات، أن يلتحقا بالـدَّورة لزيـادة العـدد، استنادًا لمشاركته في مسرحية الأطفال، ولخبرة السكرتيرة التـي لا بـدّ مـن تنميتها في مجال إنشاء مسرح جيد بإمكانات قليلة، باعتبارها مديرة إنتـاج المسرحيّة نفسها!

***

- في بلادنا، لا يمكن إلّا أن يُجرَّ النـاسُ إلى الجنَّـة بالـسلاسل! أتـرى، كيف أن نظرتي للبشر لا تخيب. قال الدكتور لـسليم عنـدما رأى موهبتـه المُضمرة تتفتّح أثناء التّدريب. ولم يتوان عن مدِّ يد المساعدة له، وهو يـزجُّ به في مسرحيات استطاع الحصول لها على جزء من التّمويل الخارجي.

أما الحقيقة التي لا يمكن إنكارها فهي أن سليم نجح، ولم يُسوِّد وجـه الدكتور، إلّا أن الأدوار التي قُدِّرَ له أن يلعبها، لم تُتِحْ له مجالًا للتألّق الذي يحلم به.

***

لكنها الخبرة، التي أينعتْ هناك.

***

بحسّه العميق، أدرك سليم نصري، أنه إذا ما استطاع نقل العرض إلى خارج مكانه، إلى "رام الله" أو أيّ مدينة أخرى، فإن كـلّ شيء سـيتغير، سيكون له الدَّور وتكون له الشّخصية، فمن هو ذلك الذي يعرف ياسـين الأسمر بعيدًا عن حارته.

وملأتْ صورة الدكتور مخيِّلتـه فجـأة. صـحيح أن العـرض لا يحتـاج لمصاريف إنتاج، ولكنّه بحاجة ليد ترفعه وتزرعه برفق فوق خشبة مسرح محترم، يد قادرة متنفّذة، لها علاقاتها.

- خطوة كبيرة، يلزم أن تسبقها خطوة أصغر منها بكثير، لكنّها مفتاح كلّ الخُطى القادمة. همس لنفسه، وقد اعتدل مزاجه.

6

لم يكن ياسين من أولئك الأشخاص الذين يقبَلون ربط مصيرهم بمصير إنسان بعينه، كان يتفلَّتُ دائمًا من هذا الشَّرَك الذي يحسّ بأنه يترصَّده على الدَّوام.

- لم يكن هذا لأنني أحبُّ نفسي أكثر، بل لأنني لم أتصوَّر إنسانًا يقع آخرَ الأمر رازحًا تحت أعبائي!

قال ذلك أكثر من مرّة، حين كانت تطارده المرحومة والدته، طالبة منه الزّواج. وقد صدَقَ ظنُّه، حين وجد نفسه، وقبل أن يبلغ الخامسة والعشرين من عمره في زنزانة طولها لا يصل المترين وعرضها أقل من ذلك بكثير.

كان السجناء، يسمّونها القبر، ورغم معرفته، أن مكانًا مُظلمًا ودبقًا كهذا، لا يمكن أن يكون اسمه إلّا القبر، إلّا أن القبول بهذا الاسم، كان يُلزِمُ ساكنَه بكل ما يترتَّبُ على الميّت من أعباء: أن يكون ميتًا.

- كنت أحبُّ الحياة إلى ذلك الحدِّ الذي اعتقدتُ معه، أن على الموت أن يقاتلني طويلًا قبل أن يصلَ إلى داخل قلعتي هذه: جسدي.

حين أفاق من نوبة تعذيب ذات مرّة، وجد المحقِّق يجلس أمامه، في الزّنزانة، مبتسمًا، ويده تمتدُّ إليه بكوب.

- تفضَّل، تستحقّ ما هو أكثر من الشّاي، ولكن، لا عليك، سأدعوك فيما بعد، نخرج وحدنا، نتجوّل، نتشيطن قليلًا، أليس ذلك من حقّنا كشباب؟!

وقرَّبَ المحقِّق كوب الشّاي أكثر..

- أنا آسف أننا اضطررنا أن ننتزع منك الاعترافات تحتَ التّعذيب، ولكنكَ كنتَ صلبًا، أعترف بهذا، إلى حدِّ أنك، للأسف، لم تترك لنا وسيلة أخرى. والحقيقة، وأرجو ألا يكون في صراحتي هذه أيَّ مساس بكرامتك، لم أكن أتصوَّر أن إنسانًا واقعًا تحت تأثير الغيبوبة يمكن أن يتذكَّرَ كلَّ شيء، كما لو أنك كنت تحفظ، عن ظهر قلب، إجابات كلّ تلك الأسئلة التي وجِّهَتْ إليكَ في صحوك ولم تُجب عليها.

كان على ياسين أن يترك المحقّق يواصل كلامه، ويمضي بعيدًا، باحثًا داخل قلعته الصغيرة، عما يؤكِّد له أن ذلك لم يحدُث، أنه لم يعترف، وحين لم يستطع، فوجئ المحقِّق به يذهب في غيبوبة لا علاقة للتّعذيب بها.

ابتسَم.

- كيف يمكن للمرء أن يحتمل خيانة جسده؟

أعادتْ يدُ المحقّق كوب الشّاي إلى الأرض حيث كان، فكَّر بمغادرة الزِّنزانة، لكنه أحسَّ أن عليه إنهاء ما بدأه.

هزَّ ياسينَ، مرّة، مرّتين. فتحَ عينيه آخر الأمر، بصعوبة.

- لم تأخذوا شيئًا مني. قال للمحقّق. لم تأخذوا أيَّ شيء سوى غيبوبتي.

- وكيف تستطيع أن تكون متأكِّدًا إلى هذا الحدّ؟

- لأنني أعرف جسدي، لا يمكن أن يخونني، ما دمتُ فيه.

تساءل المحقق، فيما إذا كان أطلق جملته حول خيانة الجسد بصوت عال، بحيث سمِعها ياسين، أم أنها كانت مجرّد مصادفة لا غير.

لم يعرف.

بعد صمت، أُشْرِعَ بابُ الزنـزانة، دخلتْ مجندةٌ شابّة طويلـة، حجَـبَ النّورُ الـسّاطع، خلْفهـا، وجههـا، لكنـه لم يـستطع إخفـاء تلـك الليونـة المتموجة في صوتها: كيف أحوال الجميل! هل شرب الشّاي، أم لم يعجبه. قالت بعربيَّة مُكسَّرة.

- لم يعجبه؟ ردَّ المحقِّق. وأضـاف موجِّهًـا الكـلام لـه: خـذ وقتـك، سأترك لك كوب الشّاي هنا، ولكن أرجوك ألا تنتحر بـه، أرجـوك ألّا تقطع شرايينك بقطعة منه. فالاعتراف، لا يمكن أن يكـون ثمنـه المـوت، الاعتراف ثمنه الحياة دائمًا!

جملةٌ مُلتبسة، لم يكن بمقدور ياسين تلمُّس معناهـا، وهـو عـلى تلـك الحالة.

- لم أشرب الشّاي ولم أنتحر بناء عـلى رغبـة المحقّـق. ولم أكـن واثقًـا بجسدي وعقلي مثلما كنتُ واثقًا بهما ذلك اليوم. قد يسألني أحدٌ: ولمـاذا؟ وعندها سأقول: إنني تجوَّلت فيه هناك، تفقَّدتـه، تحسَّـستُ بروحـي كـلَّ جزء فيه، ولم أجد سوى ثغرة واحدة، هي ذلك الكسْر الـذي في ذراعـي، وعندما وصلْته، صحوتُ على ألمه.

***

كان ينظر حوله فيراه لامعًا ينسابُ، عرقُ الجدران؛ خمسة أيام أمضاها تحت أضواء ساطعة ينبعثُ منها جحيم لا يُطاق.

- عوَّدتُ جسدي ألا يكـون في لحظـة مـا عرضـةً للـشَّك. فـصدّقتُ عينَيّ، وقلت: الجدران يمكن أن تتعذَّب مثلنا.

وقال له المحقِّق من طاقة الباب، ستتبخَّر هنا، ستُحوِّلُك هذه النـار إلى قطعة فحم، فوقها غيمة..

- كان لهذا المحقِّق بعض التعابير التي لا أستطيع القول إلا أنها جميلة! وطَوال فترة وجودي في السجن، كنتُ أقول لنفسي: كان يمكن أن يكون كاتبًا، لو اختار أيّ مهنة غير هذه.

***

حين توقّفتْ تلك السيّارة العسكرية في باحة السّجن، دفع المحققُ ياسين بقوة نحو بابها وهو يقول له: أرجو ألا أراك مرّة أخرى.

في ذلك اليوم البارد من شهر آذار، وعبر باب صندوق السيارة المعدني، التقتْ عيناه بعينَيّ المحقِّق، كان الأخير يتوقّع أيّ جملة غير تلك التي قالها ياسين: أتعرف، كان يمكن أن تكون كاتبًا.

هكذا، هبط صمتٌ طويل على السّاحة، لم يقطعْه شيء سوى صرير قيود، ووقْع أقدام تأتي وتذهب، وتَواصَلَ الصمت الذي تصاعد في العربة ليتحوَّل إلى خوف غامض لا ملامح له، ولا حدود، عندما أحسّ ياسين بأنها راحت تعبر أكثر من زمان، بالإيقاع البطيء القاتل نفسه، وخُيِّل له أنها لن تتوقّف، قبل أن يكونوا قد تأكَّدوا من أن ذلك الشاب الملقى مغمضَ العينين في صندوقها، لن يهبط منها إلّا وقد أصبح عجوزًا.

حين سمع المفاتيح تدور في الأقفال ثانية، أدرك أن السيارة توقَّفتْ، وحين رفعوا العصابة عن عينيه، وأجال نظره في الوجهة التي أمامه، انزلقتْ أكثرُ من دمعة على خديه بصمت، فليس ثمة سوى خطوات قليلة ويكون قد أضحى لأول مرة خارج وطنه، واحدًا من المُبعَدين.

***

لم يكن ياسين الأسمر من أولئك الأشخاص الذين يقبلون ربط مصيرهم بمصير إنسان بعينه، كان يتفلَّت دائمًا من هذا الشَّرك الذي يحسُّ بأنه يترصَّده على الدّوام. وأحسَّ بأنه كان على حقٍّ دائمًا، لكن ذلك لا يمكن أن يستمرّ للنهاية.

أما الشيء الذي لم يكن يتوقَّعه، فهو أن يرتبط مصيره بمصير ممثِّل يؤدِّي للمرّة الأولى، دوْرَه الأوّلَ الكبير، على خشبة المسرح.

7

حين رأوا الجنودَ يطبقون على المنزل ذاتَ يوم، كـان الـشيء الوحيـد الذي لا يمكن أن يخطر بـبال جيرانـه أن هـذه القـوّة، بأكملهـا، قادمـة للقبض على ياسين.

وعندما اندفعوا يحطِّمون الباب مجتاحين كلَّ مـا أمـامهم مـن أشيـاء، ومبعثرين زهوَ الدَّجاجة الحمراء بصيصانها في الحوْش. كانوا أسرع بكثير من صرخة أم الوليد التي ملأت المكان: أهرب يا ياسين.

لكنهم وصولوا قبل صرختها.

لم يكونوا بحاجة للتأكُّد من شيء، حملوا كلَّ ما وقعتْ عليه أيـديهم، قصائد لمعين بسيسو وتوفيق زيّاد، قصصًا لمحمود شقير وغسان كنفاني، ودراسات لاحسان عباس وكتبًا ومقالات ونشرات لا يعرف أحـد مـا فيها، وبعض روايات الهلال وكتبها، ثلاثية نجيب محفوظ و "قنـديل أم هاشم"، ومجلة العربي وبعض أعداد "صوت الجيل"، ولم تسلَم من ذلك دفاتر تحضير الدُّروس، وصور لاعبين من نـادي الزّمالـك والأهلـي كـان يتابع أخبارهم عن بُعد ويراهم يجـرون فـوق أرض الملاعـب، ويُحـرزون الأهداف عبر أثير الإذاعة، قبل أن يدخل التلفزيون جميع البيوت.

38

حتى تلك المُداهمة السّاحقة، لم تكن تثير الخوف في قلوب الجيران، أو في قلب أمّه التي تعلَّقتْ به إلى أن تلقَّتْ ضربة أجبرتها على تعليق يدها في عنقها ثلاثة أشهر كاملة؛ كانوا على يقين من أنّ جنود الاحتلال قد أخطأوا العنوان. لكن هذه الطمأنينة تبخَّرت عند رؤيتهم للأوراق المُصادرة. إذ أيقنوا فجأة، مع أن كثيرًا من هذه الكتب والمجلات موجودة في بيوتهم، أن ياسين كان أكبر بكثير مما كانوا يعتقدون.

في زمن الخوف، لا شيء يُخيف كالأوراق حين يأتي الجنود.

***

تستعيد أم الوليد صورته، صورة ياسين الطفل الممتلئ شغفًا بذلك السّهل الصّغير خلف البيوت، السّهل الصغير الذي ابتلعته بيوت جديدة تم بناؤها على مدى سنوات وسنوات.

كان أول من يهبط للسَّهل، وآخر من يعود منه، وإذا ما عاد للمنزل فإن شيئين لا أكثر وراء عودته: الجوع أو العطش الشّديد.

لكن وجوده على مرمى البصر، مع الأولاد الآخرين، في أغلب الأوقات، كان مصدر طمأنينة لأمّه ولأم الوليد التي قالت له فيما بعد: يهيأ لي أنني أخاف عليك أكثر من أمّك، لأنك وحيدها. وبعد زمن قالت، ربما سبب هذا الخوف أن أمك تخاف على واحد، هو أنت، أما أنا فأخاف على اثنين: هي وأنت معًا!

كُرة الجوارب، كرة القماش تتطاير أمام الأقدام الصغيرة طَوال الوقت، وحين يقترب موسم زراعة الكوسا والفقّوس، يتم إخلاء السّهل لشهور طويلة، يتراكض الأولاد حول الحقل الكبير، مكتفين ببعض ثمار الحقل التي تُطلُّ ناضجةً كما لو أنها تدعوهم لقطفها.

تلك المتعة وحدها كانت تُنسيهم أن هذا الحقل كان ملعبهم. فينشغلون بصناعة الطائرات الورقيّة الملوّنة، وسيارات الأسلاك، وفي

مشهد الطفولة الواسع ذاك، كان ياسين دائمًا هو الحاضر. وعندما تجاوز الأولاد طفولتهم واجتاحت المنازلُ الجديدة حقلَ القثاء، ظلّ ياسين مربوطًا هناك بروحٍ طفلةٍ.

تذكرُ أم الوليد كيف جاء ذات يوم إلى أمّه وقال سآخذكما جولة، وحين قالت له أمّه: وهل أستطيع المشي؟!

قال: لذلك أحضرتُ سيارة!!

ذات يوم سمعها تقول: قَطِعْ ها العيشة، الواحدة منّا ما بتطْلَع من بيتها إلا لزيارة جارتها أو للقبر. التفتَ إليّ، وقال: يا أمِّ الوليد لا تقولي لي إنك مش مثلها!

هزّت أم الوليد رأسها وسرحت بعيدًا.

لقد ادَّخر ما يكفي للقيام برحلة العُمر.

حملتهم السيارة ودارت بهم يومًا كاملًا، حتى وصلوا "جنين" و "طولكرم"، وعندما عادوا للبيت، كان يتوقّع أيّ شيء، سوى موجة البكاء التي انفجرتْ في عيونهما.

فوجئ: لماذا البكاء؟!

أمّه قالت: ما كنت بعرف إن بلادنا حلوة لهدَّرجة!

***

كانت إحدى أمنياته أن يكون لاعب كرة قدم.

راوده هذا الحلم طويلًا، وحين بدا للبعض أن الحلم تراجع، كان في الحقيقة قد سكن في أعماقه هناك.

أُمّ الوليد كانت تقول له: اللي بلعب كورة لازم يكون طويل وعريض مش زيك!

بعد عودته من إبعاده، وجدها مُتلبِّسة بمشاهدة كرة القدم مـع نعـيم. مال باتجاه أذنها، ووشوشـها: الآن أصـبحت تُـشاهدين مبـاريـات كـأس العالم؟!!

– لا والله، بس سهرانة مع نعيم حتى ما ينام وهو بتفرَّج عالتلفزيون.

– وإذا نام! لو كنت سهرانة معـه لأنـه يـدرُس، لفهمـت، لكنَّـه الآن أستاذ ويُدَرِّس. قولي إنك صرت تعرفين مارادونا وتحبينه!

– شو فيها يعني؟!

– فيها كثير!

– شو قصدك؟

– قصدي انك بتشجعي واحد أقصر منّي؟!

– لسّه مش ناسي؟ بس بصراحة كنت بتلعب أحسن منه!!

– هيك حكي كان لازم حكيتيه زمان.

– عزّا!! وكيف كنت راح أحكيه وأنا ما كنت بعرف مارادونا؟!

41

8

كان يمكن أن تنتهي الأمور عند هذا الحد، يدرك ياسين ذلك، ينتهي العرض، يعود الناس إلى بيوتهم، ويتلاشى أثره، مثلما تلاشتْ خطاهم مع هبوب تلك الرّيح التي لم يحسب لها ترابُ تلك السّاحة حسابًا.

لكنه يعرف أن بعض الأمور، ما دامت ابتدأت فإنها ستظلّ تدور وتدور إلى أن تجد نهايتها، أيًّا كان نوعها.

حين التقاه للمرة الأولى قبل سنوات، لم يعْلَق منه شيء. حاول سليم نصري أن يُذكّره فيما بعد بحديث دار بينهما حول أمور كثيرة، وأن بذرة عمل مسرحي وجدتْ طريقها إلى مخيلته منذ ذلك الوقت.

أيّ شيء يمكن أن يُقال لياسين عن تلك الأيام لا يمكن إلّا أن يُصدِّقه، فقد كان، مثله مثل سواه ممن وجدوا باب الوطن فجأة مفتوحًا، فلم يصدِّقوا أنهم عادوا.

- حين وصلنا "عمّان"، كان كلُّ شيء فيّ يسبقني إلى هناك، إلى الجسر، وحين وصلنا الجسر، رحتُ أبحث عن وجه أمّي بين الناس، رغم أنني أعرف أنها رحلتْ منذ أكثر من عشرين عامًا. وحين لم ألمْحها، قلتُ، سأراها في البيت، امرأة بعمرها، لم يكن بإمكانها الوصول إلى هنا.

قليلون هم أولئك الذين يقفون في حياتهم موقفًا كهـذا، أن يعـودوا إلى أوطانهم، وهم يعرفون أنهم يعودون إليها ناقصة.

لم يكن المشهد جميلًا للجنود الذين راحـوا يراقبون اختـلاط الـدّموع بالدّموع، في لحظة تبدو خارج المنطق، ولم يكن أيّ مـن أولئك الـذين وجدوا أنفسهم وجهًا لوجـه مـع ظـلال ملامح أهلهـم وأصـدقائهم يملكون القدرة على رؤية أجنحتهم كاملة.

- وكما لو أن حنين المرء للأشياء التي يحبها يكون فوق أكتافه. انحنوا مثقلين بحنينهم يُقبِّلون التراب. وكنتُ سأفعل مثلهم، رغم أنني لم أفكـر بهذا الأمر من قبل.

تحت شمس ظهيرة ذلك الثلاثين من نيسان، في البُقْعَة الأكثر انخفاضًا في الدّنيا، في الأغوار، كانت دموع الناس وهتافاتهم كافية لأن تحيل العـالم كله إلى جمرة.

- ما الذي يعيـدني إلى حريـة ناقصة إلى هـذا الحـد. وأجبـت: حريةٌ ورائي، تفوقها نقصانًا!

ذات يوم قرأ ياسين عن سمك يُطْلَق عليه اسم الشّيخ، عندما يـصبح قويًا، يهاجر من موطنه الغدير إلى البحر، وعندما يشيخ، يعود إلى الغـدير حاملا هموم وذكريات السنوات الطويلة التي قضاها بعيدًا عنه.

- الشيء الذي كنتُ متأكدًا منه، أنني لـن أكـون سـمكة مـن ذلك الصنف، سأعود إذا كان بإمكاني أن أؤسس ذكريات جديدة من جديـد. ودائمًا، دائمًا، لم أكن أحب الذين يعودون إلى أوطانهم فقط، كي يموتـوا فيها، وكأن أوطانهم لن تعيش إن لم تكن جثثهم تحت ترابها!

في الخمسين كان، مُعَلَّقا بين عهدين، في تلك النقطة الغامضة التي لا تشير إلى شباب أو شيخوخة، بـرًّا مفتوحًا عـلى نفسه، لا شيء وراءه، ولا شيء أمامه، بـرًّا كلّ كينونته فيه، كما لو أنه مقطوع عن كـلّ شيء، مكتف

43

بانعدام وزنه، بين شباب مضى، وشيخوخة بلا ضفاف. وتساءل: هل هي مجرد مصادفة أن يكون ما مرَّ من عمره موزعًا بالتساوي بين الوطن والمنفى؟! لكنّ الشيء الذي كان يعيده إلى ذاته، أن عشر سنوات تنتظره، على الأقل، هناك أمامه، كي يفعل شيئًا ما، مهمًّا ربما، شيئًا يُفسِّر له معنى هذه العودة.

من بين الجموع التي أطبقت عليهم تُقَبِّلهم، أناس يعرفونهم، وآخرون لم يكونوا قد وِلدوا بعد، حين وجدوا أنفسهم خارج زمانهم، ومكانهم، من بين تلك الأمواج المندفعة من البشر، التقطتْ عيناه مشهدَ ذلك الحذاء العسكريّ الذي كان يدقُّ الأرض بحركة منتظمة، ومرَّ زمن طويل قبل أن ترتفع عيناه، لتلتقي، خطفًا، بنظرات ذلك الجنديّ الذي وقف يراقب المشهد بانفعال لا يمكن تفسيره.

كاميرات المصوِّرين وأسئلة الصحفيين، وحدها التي تستطيع شقَّ طريقها وسط الحشود، مثلما هي قادرة على أن تُعيد الصمت. تقدَّمت الكاميرات، وحين رآها الجميع، أدركوا فجأة أنهم يحرمونه من تلك اللحظة التي لا يجوز لأحد أن يسلبه قداستها: لحظة لقاء شفتيه بالتراب.

ولم تكن مناسبة كبرى كهذه يمكن أن تكتمل، أو تبلغ معناها، بغير مشهد تقبيل التراب.

وفي الوقت الذي راح فيه الجميع ينتظرون اللحظة بانفعال لا يَخفى، كانت عينا ياسين قد عادتا لتستقرا هناك، في النقطة التي تلتقي فيها مُقدِّمة الحذاء العسكريّ بالأرض.

- راح الجميع ينتظرون لحظة انحنائي، وتحت وطأة نار الظّهيرة، رأيتُ عيون المصوّرين ترجوني أن أقوم بالواجب المُلقى عليَّ لتكتمل مهمَّتهم! لكنني وجدتُ قدميَّ تحملاني بعيدًا، كما لو أنني تخففتُ من عبء حنيني

وطوَّحتُ به؛ شعرتُ بقامتي تستقيم، ونظراتي تزداد التصاقًا بنظرات ذلك الجندي.

- كان يمكن أن تُقبِّل التراب مثل سواك. قال له خاله الذي لِحقَ به.

- أعدك أنني سأقبله ذات يوم أمامك، أمام الجميع، سأناديك، وأقول لك يا خال، أُدْعُ الناس، لم يعد فوق هذا التراب أيّ جندي، وقد حان الوقت لقُبْلة من هذا النوع.

***

لم يكن الخال أبو الوليد صاحب العينين الحادّتين الصغيرتين والقامة المتوسطة، مستعدًا للقبول بأيّ كلام من هذا النوع، فالوطن وطن، تمامًا، مثلما الابن ابن، لكنه ابتلع كلامه، وطوى غضبته على مضض.

أما ما أثار حَيرة الخال فهو ذلك التّصفيق الذي رجَّ المكان، وأبدان العباد، حينما اختُتِمَت المسرحيّة بالجملة نفسها التي قالها ابن أخته، له وحده، عند الجسر قبل سنوات.

***

كان يمكن أن تنتهي الأمور عند هذا الحدّ، أن ينتهي العرض، ويعود الناس إلى بيوتهم. يدرك ياسين هذا، لكن ذلك لم يحدث، إذ بعد أيام وجد نفسه تحت إلحاح سليم نصري، الذي جاء يطلب منه أن يكون هناك عرض آخر.

رفض في البداية بصورة ظنَّ معها الممثّل، أن كلَّ ما عمله قد تبخّر في الهواء، واختفى للأبد.

وعندما وصل بوابة البيت، سمع صوت ياسين خلْفه.

- مرّة واحدة، فقط!

- واحدة فقط. ردَّ سليم وقد اخضرَّتْ ملامحُه فجأة.

9

- أظن أن زهريّتها فارغة. قال ياسين.

- حاولتُ أن أفعلها، وأملأها لها، لكنها قالت هذه لوروده، وبإمكانك أن تملأ زهريَّة أخرى. أصارحكَ، قطفتُ لها مرّة، مرّتين، لكن ذلك لم يستمر حتى النهاية. قال الخال.

بعد صمت أضاف: ذات يوم هزَّتْ أم الوليد رأسَها وقالت لي: أرأيت، وحده ياسين الذي لا يتعب من الأشياء الجميلة!

***

يستعيد ياسين ذلك الزمن البعيد.

ربما دخلت الوردةُ مصادفة ذلك البيت، بيت أُمّه أوّلًا؛ وحين رأى شهقة أم الوليد أمام الباقة البريّة، أدرك أن امرأتين طيبتين مثلهما تستحقّان الورد طوال عمرهما.

- دائما سيكون هنالك وردٌ في هذا البيت.

هو نفسه، ياسين الذي لم يكن تجاوز أيامها العاشرة كثيرًا، لم يعرف ذلك الحسّ الذي يُمكن أن توقظه وردة في زهريَّة، حتى رأى الورد في

البيت أيضًا. وفي زمن كان فيه رمل ضياع نصف الوطن كاملًا بين الأسنان، لم يكن ما فعله الورد أقل من معجزة.

بعد زمن طويل أدرك ياسين أن تأثير وردة في البيت، لا يختلف عن تأثير الموسيقى أبدًا. وحين يستعيد ذلك الزمان يكاد يُقْسِم أن كلَّ فصل من فصول السنة كانت له أزهاره. بعضها يلتقطه من بين الأشجار وحوافِّ البساتين، وبعضها عن الأشجار نفسها، من المشمش حتى البرتقال.

- الوردة أختُ الموسيقى. قال كلامًا كهذا ذات يوم. وفي غمرة وحدته أيامَ غربته، كان يحسُّ أن الوردة التي تموت سريعًا هي أكثر الأشياء التي تُذكِّرُك بعمق جمال الحياة. حيث تكون الوردة، يغمرك سلام ما، لا شيء يشبهه.

***

حين وصلوا رام الله، قال ياسين: أريد أن نتوقَّف عند أيّ محلٍّ للزهور.

أوشك أبو الوليد أن يقول: وهل هذا وقته؟ لكنّه لم يقلها.

- إن لم يحمل لها الأزهار اليوم، فأيّ يوم يمكن أن يكون أفضل!

باقة الزنبق البيضاء تلك، استوقفته طويلًا. اشتراها.

- ستفرح بها. قال أبو الوليد.

- أظنكَ ستكون مثلي ذات يوم يا خال.

ضحك أبو الوليد، قال: ولِمَ لا، فلقد انقلبَ الزمان؛ في الماضي كانوا يقولون (ثلثين الولد لخاله)، أما اليوم فيجب أن نقول (ثلثين الخال لابن أخته).

- أنت الأصل يا خال.

- هل تعتقد أنني زعلت؟ لا. ذلك فخرٌ لي.

كانت تلك أجمل كلمة يقولها له الخال في حياته. أحسّها حقلَ زهور.

***

الوقوف على حاجز (بيتونيا) ما بين "رام الله" وقريتهم، كان لا بدَّ منه.

- لم نذق بعد طعم الحرّية التي تعيشها رام الله حتى الآن. نحن أهالي منطقة (ب). أو أهالي المرحلة الثانية لانسحاب الجيش الإسرائيلي. قال الخال.

أوشك ياسين أن يقول: أرأيت لماذا لم أُقبِّل الأرض. لكنّه لم يقلها. اكتفى بتأمّل الزهور بين يديه.

أنزلهم الجنود من السيارة، وقفوا إلى جوارها، في الوقت الذي انطلقوا فيه لتفتيشها من الدّاخل، وتفتيش صندوقها، وإلقاء نظرات متفحِّصة بين أجزاء محرّكها. حين انتهوا، اقترب جنديٌّ من ياسين: ما هذا؟

- ورد.

- وماذا يوجد في الورد؟

- ورد.

- لا أشياء خطيرة؟

- فقط ورد.

اقترب الجنديّ، أمسكَ الباقة، قَلَبَها، كما لو أنه يُمسك بطفل من قدميه، هزَّها، ثم أعادها لياسين.

- فرحان إنتَ، لأننا انسخبنا من "رام الله". من هون ما راح ننسخب.

اقترب جنديٌّ آخر، كان يتابع الكلام على بعد أربعة أمتار، تساءل عما يدور. وضحك: تأخذه لحبيبتك، أم لزوجتك؟!

لم يُجب ياسين، وتمنّى الخال لو أنهم لم يشتروا الورد.

- انتظرْ هناك. قال الجنديّ الأوّل وهو يشير إليهم.

لم يُبْدِ السائق امتعاضًا، السائق الذي اتّفق معه أبو الوليد على هذه الرّحلة. وعندما أحسّ بالضيق الذي بدأ ينتاب ياسين، قال له: لا عليك، يوقفوننا لأسباب أقلّ من هذه بكثير.

- يقصد من أجل وردة واحدة! قال أبو الوليد، محاولًا تبديد ذلك الوجوم. وضحك. وضحك ياسين، لأنه يرى أبو الوليد يضحك.

***

كانت السيارات تعبر واحدة تلو أخرى، حتى أن خبر وقوفهم على الحاجز كان قد سبقهم إلى القرية، فجاءت أكثر من سيارة تُقِلّ بعض جيرانهم وأقاربهم، ووقفتْ على الجانب الثاني من الحاجز.

لوّحتْ أكثرُ من يد، فلوّحوا بدورهم. وكان ذلك سببًا كافيًا لإغاظة الجنود.

عند السادسة مساء، بعد أربع ساعات، كان الجنود يدورون خلالها حولهم، ويتأمّلون ياسين بباقة ورده، سمحوا لهم بالصّعود إلى السيارة ثانية.

حين اندفع صوت المحرِّك وتحرّكت السيارة، كان الشيء الوحيد الذي يُشغِل ياسين، أنها، المرّة الأولى، التي يعيش فيها احتضار الورد بين يديه.

تحت شجرة التّين كانت أم الوليد ترقب وصول ذلك الغالي قادمًا من الشّرق. وقبل أن ترى العربات، كانت تسمع صوت هدير محرِّكاتها؛ اندفعتْ فوق الدّرجات كشلال، وعلى باب بيت ياسين توقّفتْ.

في السيارة، مدَّ أبو الوليد يده نحو باقة الورد الذابلة ليأخذها من ياسين ويتخلّص منها.

- دعها، ستفهم ذلك، أم الوليد ستفهم ذلك. قال الخال.

وقبل أن يهبط من السيارة، وجد نفسه بين ذراعيها.

10

حاول ياسين أن يتعرف على رام الله بنفسه حين عاد إليها مـن إبعـاده، قال لهم: لا أريد أن يدلّني أحد. سأترك قلبي يقودني ويدلّني .

ذلك المساء جلس حزينًا.

سأله أبو الوليد: عرفتها؟

- لـستُ متأكـدًا مـن شيء. لـستُ متأكـدًا مـن شيء أبـدًا. تـسير في الشوارع، الشوارع نفسها، لكنها غيرهـا، وليـست هـذه هـي المشكلة، المشكلة في الوجوه، لأوّل مرّة أجد نفسي مرتبكًا إلى هذا الحدّ. ينظر إليـك شخص ما، نظرة ودٍّ، فلا تعرف إن كنتَ رأيته اليـوم، أم أمـس، أم قبـل خمسة وعشرين عامًا، هل رأيته هنا حين كان شابًا، أو طفلًا، أم رأيتـه في واحد من المنافي التي أخذتْ حصتها كاملة من حياتك؛ ترتبك، هـل تـردُّ التحيّة أم تواصل طريقك. كلّ مَنْ أراه أحسّ بـأنني أعرفـه ولا أعرفـه، وكلّ ما أراه أيضًا.

- مرحبًا. تجرأ رجلٌ وسألني، كأنني أعرفك قال لي.

- وكأنني أعرفكَ. قلتُ له.

- أين تقابلنا؟

- كنت سأسألكَ السؤال نفسه!

كانا حائرين. تأمّلا بعضهما بعضًا، حاول ياسين أن يكسر جهامة لحظة الضّياع هذه، وفقدان اليقين.

- على أيّ حال فرصة لأن نتعرَّف إلى بعضنا البعض. ياسين الأسمر.

- أهلا وسهلا. عزت العِسْليني. كأن ما يحدُث لي يحدُث لك؟

- ماذا تعني؟

- اختلاط الوجوه، عدم القدرة على التأكُّد من شيء واحد تمامًا. كلّ ما أراه أعرفه ولا أعرفه.

- على الأقل إذا ما التقينا مرّة أخرى، سنكون متأكدين من أننا التقينا!

***

في البداية راح يردُّ السَّلام على أشخاص يبزغون أمامه فجأة. إنه يعرفهم. لكنَّ ارتباكهم وهم يردُّون التحيّة، جعله يحسُّ بأن بعضهم ينظر إليه كمجنون.

- تفقدتُ ملابسي لكي أتأكد من أن هيئتي ليست هيئة مجنون. هذا ما طمأنني. أوقفتُ ذلك الحسَّ الطَّاغي الذي يُلصِق وجوهًا أعرفها ووجوهًا لا أعرفها بذاكرتي وقلت: سِرْ كأنك تدخل هذه المدينة للمرّة الأولى في حياتك.

توقّف في "المنارة"، تأمل أُسوْدَها التي تتشبَّث بالمكان. همسَ لنفسه: أظنّها الوحيدة التي تعرف الجميع كما يعرفونها!

مضى في شارع (رُكَب)، توقَّف قليلًا مقابل كنيسة "بيت الأصدقاء"، فكر في أن يصعد الطَّلْعَةَ الصغيرة التي تتفرَّع من الشّارع بعدها، ليتخفَّف من ألفة الملامح وغربتها، لكن سينما "دنيا" مرّتْ في ذاكرته، فواصل الطريق باتجاهها.

حين عاد ثانية باتجاه دوّار "المنارة"، خُيِّل إليه أن الازدحام أكبر.

لم يكن قد سبق له أن شاهد كلَّ هؤلاء البشر في شارع واحد هنا.

بعد قليل، أحسَّ بأن قراره بتجاهل كلّ من يراه مُربك أكثر، إذ راحت وجوه كثيرة، تتلفّتُ نحوه بودٍّ، وحين لا يبادلها ودَّها، تنقبض، كما لو أنها نادمة على أحاسيسها التي أبدتها، وأنارتْ ملامحها.

لم يعد يحتمل ضياعه في مكانه، انعطف نحو شارع "القدس"، باتجاه "البيرة"، إلى أن وصل مفرق شارع "نابلس".

- يلزمني كثير من الوقت، يا أبا الوليد، حتى أكرِّرها.

- بكرة بتتعود.

- أتعرف، هذا هو ما لا أريده بالذات.

***

حين عاد ثانية، بعد اعتقاله الثاني، بعد أربع سنوات، كان الأمر أكثر إرباكًا، توقّف بين عمارتي "النَّتْشِة" و "طَنُّوس"، فاختلط المكان في رأسه هذه المرّة بحيث لم يعد يعرف ما كان موجودًا من قبل، وما لم يكن، دارَ "رام الله" شارعًا شارعًا، وحين أحسَّ بذلك التّعب الذي يضاعفه وهنُ ساقه، توقّف، ولكنه للحظة، ورغم صِغَر المساحة التي تحرَّك فيها، أحسَّ بأن كلّ الأماكن التي رآها تقع في شارع واحد، عمارة "بَحُّور"، "مطعم أبو اسكندر"، "مكتبة دار الشروق"، "مسرح القصبة"، "البنك العربي" و"موقف سيارات غزّة"، "محلات ضَراغْمِة" و "سوبر ماركت زَبانِة"، "شركة الكهرباء" و "حلويات الأمراء" و "المعهد الوطني للموسيقى"!

لكنه عندما عاد للبيت ثانية، قرّر ألا يستسلم.

***

- هنا في بلادنا لم يعد المرء يعرف يوم موعده مع سجنه أو يوم موعده مع موته. هنا يجب ألّا تؤجل عملًا، إلى الساعة التالية. قالها لأم الوليد.

أم الوليد التي هزَّت رأسها بأسى، كـما لـو أنهـا أجّلـت كـلّ شيء إلى لحظة تعرف أنها لن تأتي إن لم تذهب إليها بنفسها.

⁕

– لا شيء يبرر عدم معرفتكَ للمكان الذي أنت فيه، أو الناس الـذين يشاركونك شوارعه وبيوته. إذا صدَّقتَ يا ياسين أنك مجرد رجل ميـت يمشي، فإنك لم تكن حيًا في أيّ يوم مضى.

عاد للمدينة من جديد.

11

- سبع سنوات كان عمرك، حين رأيتك آخر مرّة. وها أنت تتجاوز الثلاثين. قال له ياسين.

- كلُّنا كبرنا بالطريقة نفسها. ردَّ نعيم. فلم تعد أنتَ أو أنا نلعب كرة القدم!

- سنلعب من جديد، ولكن يلزمني الآن أن أعرف ما يحيط بالملعب أيضًا!

- هل تتذكَّر كيف كنتَ تلاعبنا، نحن، أولاد الحارة، الآن تعود لتلاعب أبناء أولئك الأولاد؟

- وماذا عن أبنائك أنتَ؟ سأله ياسين. أظنُّ أن وقتَ زواجك قد حان؟

- أنا!! لا. لا يحتاج هذا الشعب لأرملةٍ أخرى وأيتام آخرين. فيه ما يكفيه وأكثر! ولكن أنتَ الذي يجب أن نـزوِّجه.

- أنـا فـاتني كـلّ شيء، وليس القطار وحده. وضـحك. إيـاك أن تصدِّقني!

- لو قلتَ غير هذا، لقلتُ إن المنفى غيَّرك.

***

عند حاجز مَفْرَق "سَلْفِيْت" توقَّفت الحافلة. أنزلوا الرّكاب، فتّشوها بدقّة، وأمضى الجندي عشر دقائق وهو يتأمّلها من الخارج، ويتأمّل ركّابَها من الداخل. ثم قالها أخيرًا: روخ!

انطلقت الحافلة مسرعة، كما لو أن الجنود سيُغيِّرون رأيهم.

- يريد أن يعوِّض الوقت الذي فاتنا؟

- لا أظن ذلك، إنه يفكِّر بالحاجز الآخر الذي ينتظرنا.

***

أمام حاجز "عيون الحَراميَّة" توقّفت الحافلة، واد صغير بين جبلين.

- يشبه سدًّا.

- سدٌّ لتجميع الضحايا.. ليس إلّا. قال ياسين.

- كنت أتمنى القول إنك متشائم. لكنني لا أستطيع.

***

لم يغادر الجنود هذه النقطة في أيِّ يوم من الأيام، ذات يوم كان الجنود البريطانيّون هنا، وبعدهم كان الجنود الأردنيّون، ثم ها هم الجنود الإسرائيليون. يعرف ياسين ذلك.

- سيكون لنا حاجز ذات يوم هنا!! قال نعيم.

- أترى كم أصبحت أمنياتنا عظيمة؟!! علّق ياسين.

أَنزلوا الرُّكّاب من الحافلة، صعد جندي، سار بين صفيِّ الكراسي حتى المقعد الطويل الذي يحتلُّ مؤخِّرتها، ومِن الداخل، كان يُلقي نظرة على وجوه الرُّكّاب في الخارج، باحثًا عن تعبير آخر غير اللامبالاة.

***

ثمة امرأة حامل، أصرّوا على معرفة ما في بطنها. أخذوها خلف الحاجز.

عادت تلعن.

***

هبط الجندي، ثانية، دار حول الرُّكّاب، توقّف عند فتاة محجَّبة، تأمَّلها، سار خطوات قليلة، ثم توقَّف ثانية، استدار، رفع يده لجنود ثلاثة يراقبون المشهد على بعد خمسة عشر مترًا، وبحركة من يده أشار إليهم أن يأتوا.

حين وصلوا، تبيَّن أنه الأرفع رتبة.

سار حتى آخر طابور الرُّكاب توقَّف قرب ياسين ونعيم. أشار لنعيم أن يتقدَّم خطوة.

يعرف نعيم الحواجز، يعرفها كلّها، حين فتح عينيه وجدها في انتظاره.

نصف ساعة آخر، كلُّ ما كان يلزم من وقت لحجب الشَّمس عن الوادي. أمام حاجز "عيون الحراميَّة" تغيب الشمس أولًا. تحجبها الجبال ويهبط الليل مبكّرًا فوق كتل الإسمنت وأكياس التراب.

تقدَّم نعيم.

يعرف بخبرته، أنهم لا يريدون الآن شيئًا سوى أن يرفِّهوا عن أنفسهم بالرُّكاب الذين يتحوَّلون إلى ألعاب.

حرارة السّاعة الرابعة والنّصف، كانت كافية لإشعال الهواء المحاصر. كانوا يعرفون أن العودة المبكّرة أكثر أمْنًا.

ألقى ياسين نظرة على العربات التي بدأت تتكاثر خلف الحافلة، ولم يكن المرء يحتاج للكثير من القوى الخارقة كي يسمع اللعنات التي تنطلق من الوجوه والعيون، وحركات البشر التي تنمُّ عن ضِيْق بكلِّ شيء.

- تعال. قال الجندي لنعيم.

- عادي. قال نعيم لياسين. اهدأْ فقط.

لكنَّ الأمر لم يكن عاديًا. ثمة مفاجآت دائما هنا على الحواجز، مفاجآت لا تخطر ببال.

على بعد خطوة واحدة من الفتاة المُحجَّبة وقف الجندي، وخلفه تمامًا، كان نعيم مقابلها.

استدار الجندي، ألقى نظرة على الشّاب، ثم ألقى نظرة على الفتاة، وسأله: بِدَّك يمشي الباص؟!

هز نعيم رأسه موافقًا.

- إذا بِدَّك الباص يمشي، لازم تبوسها! قال الجندي مشيرًا للفتاة.

التمعتْ عيونُ الجنود، راقتهم اللعبة، دخلوها بحماس، في حين راح الناس ينظرون في وجوه بعضهم بعضًا. أما الفتاة فقد بدا الأمر صاعقًا بالنسبة لها.

انطلق زامور سيارة في الخلف للحظة.

- مين الحمار بيزمّر! صرخ قائد اللعبة. وتوجه للسيارة في الخلف.

عبثًا حاول السّائق إقناعه أن الأمر تمَّ عن غير قصد؛ لكن الجندي أصرَّ على أن تخرج السيارة من الصّف الطويل، تستدير، وتعود من حيث أتت: إلى نابلس.

- بِدَّك تنام هون، ظلْ هون، بِدَّك ترجع "نابلس"، إرجع "نابلس"، ما في "رام الله" اليوم. فهمت.

بعد قليل كانت السيارة بمَن فيها تغادر الحاجز عائدة للحاجز الذي تركته وراءها، وثمة ثلاثة أطفال ينظرون عبر زجاجها الخلفيّ محاولين معرفة ما يدور.

عاد الجندي.

- فكَّرت، إنت خُرّ، قرار فلسطيني مُسْتَقِل!! انتم تقولوا هذا دائما. بِدّك يمشي الباص، ويمشي سيارات وراه، بتعمل زيّ ما بقول.

رفعتِ الفتاةُ وجهها من بُحيرة الخجل التي وجدتْ نفسَها غارقة فيها، وبعينين يموج فيهما الدَّمع نظرت إلى وجه نعيم.

ليعترف، شيء كهذا لم يخطر له ببال. نظر نحو ياسين. وجده ساهمًا، كما لو أنه ليس هنا. وقبل أن يستدير بوجهه إلى الجندي، في اللحظة الأخيرة، رفع ياسين عينيه، حدَّقا في وجهي بعضهما البعض برهة. أعاده صوت الجندي: قرَّرت؟

- لن أفعل ما تريد.

- قلتُ لك، إنت خُرّ خبيبي، ما بدّك تبوس، لا تبوس، بدّك تبوس بتمشي من هون إنت وغيرك. وأضاف وهو يبتعد: لا تتخرَّك من هون، خلِّيك مكانك.

أمام الحاجز راح الجنود يضحكون بصوت عال، كانوا يخرجون أوراقًا مالية من جيوبهم، ويناولونها لأحدهم.

يتراهنون، هل سيُقبِّلُها أم لا؟ أدرك ركَّاب الحافلة ذلك.

امرأة عجوز أدركت أن الأمر لن ينتهي، جلست على الأرض في موقع قدميها. رآها الجندي. صرخ: إنت قوم!

لم تستجب، أقبل الجندي غاضبًا، وقبل وصوله كانت امرأة إلى جانبها تحمل طفلًا في السَّنة الأولى من عمره، تشدُّها وتُنهِضها.

عاد الجندي حين رآها تقف من جديد. دخل اللعبة بحماس أكبر. ما حدث مع العجوز، نقطة مهمة في صالحه للفوز في الرِّهان.

- سيُقَبِّلها. قال، وأخرج مبلغًا آخر من جيبه وألقاه على أكياس الرَّمل.

راحت الشمس تختفي، وبدا أن اللحظة التي وجدوا أنفسهم فيها بلا نهاية.

اقترب الجندي من نعيم، قال له: لسَّه ما قررت؟

- لن أفعل ما تريد.

عندها انطلق عقب البندقية نحو فخذه، وسمع الجميع صرخة العظْم، قبل أن يسقط أرضًا، وارتطامَ مقدّمة البسطار العسكريّ، بعد ذلك، في الخصر المُلقى.

- ورانا أشغال إخنا، قلت إلك، بتبوس بروخ، ما بتبوس بتنام هون!

- لن أفعل ما تريد.

احتجَّ الجنود، وقد أدركوا أن استخدام الضَّرب يجعل الرِّهان غير نظيف. لكنّه لم يستجب لاحتجاجاتهم.

ضربة أخرى، حاول نعيم الإفلات منها، إلّا أن ذلك لم يُسْعِفْه تمامًا، انبثق دم من جبهته.

ابتعد الجنديّ، وأصبح كلّ شيء على وشك الانفجار. تململ صفُّ ركّاب الحافلة الذي يراقب المشهد غير قادر على التَّحرُّك، ونزل ركابُ أكثرَ من سيارةٍ وحافلة إلى طرفيّ الشارع. استدارت البنادق إليهم؛ أمرهم الجنود بالتزام مقاعد مركباتهم.

وفي لحظة لا يتوقَّعها أحد، انحنتِ الفتاةُ المحجَّبة على الشاب المُلقى أمامها، أمسكتْ بيده، سحبتْه، حريصةً على توازنها، وحين أصبحا وجهًا لوجه، رفعت الحِجابَ عن وجهها؛ كانت جميلة إلى حدٍّ لا يُصدَّق. بحيث عقَدتِ الدّهشةُ وجوه الناس، واحتلتْ ملامح الجنود الذين أحسّوا بأنهم لا يعاقبون الشّاب، بل يكافئونه على رفضه.

- قَبِّلْني، أنت أخي أمام هؤلاء الناس، وأمام الله. قبِّلني. أرجوك!

التفتَ نعيم إلى ياسين، التقتْ أعينهما للحظة، وحين اقترب من الفتاة، كان الرُّكاب كلُّهم يحدِّقون في الأرض كما لو أنهم غير موجودين.

على خدِّها الأيمن قبَّلَها، ومع التقاء شفاهه بوجهها صرخ عدد من الجنود، كما لو أنهم يهتفون لهدف تحقَّق في مرمى الفريق الآخر، في حين تأفَّفَ آخرون مُطْلقين صيحات استنكار.

***

حين سارت الحافلةُ، متجاوزة الحاجز، كان الصّمت هو الرَّاكب الجديد الذي احتلَّ المقاعد كلَّها. بحيث كان باستطاعة الجميع سماع تدفُّق خيط الدّم الصغير من جبهة نعيم.

وحين هبطوا في موقف الحافلات، كان الصّمت يهبط معهم، ويوزِّع نفسه عليهم. دون أن يجرؤ أحد على أن ينظر إلى الفتاة أو إلى الشاب.

جملة واحدة، سمعها نعيم، قالها ياسين: إن كانت السعادة مكتوبة لك، فادْعُ الله ألا تكون هذه الفتاة متزوِّجة أو خطيبة أحد.

ما قاله ياسين، كان يبحث عن فسحة يخرج منها، من جسد نعيم الذي ظلّ يرتجف منذ تلك اللحظة.

- لم أسمع ردّك؟

وظلَّ الشّاب صامتًا.

- علينا أن نعرف بيتها إذن. قال ياسين.

وحين سار ياسين، كانت خطى الشاب الذي أحبَّ فجأةً تتابعه.

12

- لن أحضر العرْض، هذه المرّة. قال ياسين.

- وأنا لن أعرض! ردَّ سليم.

- رأيت حياتي بما يكفي، والعرض الأكبر هنا داخلي، عرض متواصل منذ سبعة وخمسين عامًا. قلْ لي، هل هناك مسرحية عاشت فـوق الخـشبة زمنًا كهذا؟

***

في السّاحة الترابية نفسها، تجمَّعَ الناس، أنـاس كثـيرون ضـاقت بهـم البقعة الصغيرة المحـاصرة بـالبيوت. أنـاس جـاؤوا مـن خـارج القريـة، وبعضهم من "رام الله".

في منتـصف الـصَّف الأوّل تمامًـا، جلـس الـدكتور الـذي لم يكتـفِ بحضوره، بل وجَّه عددًا من الدّعوات باسمه لمعارفه وأصدقائه، وتحمَّـل عبء استئجار سيارة مُلئت بكراسي البلاستيك، بعد سماعه لملاحظة مـن سليم توحي بأن ثمة مشكلة قد يسببها عدم وجود ما يكفي من الكراسي.

- كلَّما تعلَّق الأمر بالكراسي فإن هناك مشكلة، فـدائما يكـون عـددها أقلّ من عدد طالبيها!! قالها الدكتور وابتسم.

***

(لم يراودني الشكُّ لحظة في أنني سأعود، لكن ما كان يؤرِّقني دائما الحالة التي سأكون عليها عندما أعود. في البعيد يصبح كلّ شيء غامضًا، حتى أنت، حين تحاول ذاكرتك القبض على الوجوه والأشياء، فلا تقبض سوى على ضبابها. ليس ثمة بطولة في البُعد، إن لم تسر عكسه، كما لم يكن هناك بطولة في الموت إن نسيت لحظة أنه عدّوك المتقدِّم فيك، وفي مَن تُحِب وما تُحِب، وأن كلّ ما تفعله هو أنك تقف في وجهه، غير عابئ بعدد أولئك الذين يقفون معك أو عدد الذين يقفون ضدَّك..

أفكر أحيانا، فأقول، كان يمكن أن نتخفَّفَ من كل هذا الموت، لو أن العالم يسمح لنفسه بين حين وآخر أن يكون أكثر عدلًا، يؤرقني أن فكرة جميلة كالحريّة لا تتحقّق سوى بجمال موتك، لا بجمال حياتك، وهو جمال يكفي ويفيض؛ يؤرِّقني أن البطل يصبح بطلا أفضل كلما ازداد عدد الأموات حوله أو فيه، وأن أم الشَّهيد تصبح أكثر قدسيَّة وبطولة حين يستشهد لها ولد آخر؛ يؤرقني أننا تحولنا إلى سلالم لجنَّةٍ هي في النهاية تحتنا، ولو كان الوطن في السماء لكنا وصلنا إليه من زمن بعيد. في السّجن، كان يقول لي المحقق اعترف، فأقول له: وبماذا أعترف: ما أعرفه لا يمكن أن يكون في النهاية أكثر أهمية من نفسي بحيث أقايضه بها، ولا يمكن أن تكون نفسي أكثر أهمية منه بحيث أقايضها به).

***

غياب ياسين، زرع في سليم ذلك الإحساس الغريب بالحريّة، أن العرْض له وحده؛ واكتشف أيّ خطأ ذاك الذي كان سيرتكبه لو أنه أصرّ على دعوة الدكتور في العرْض الأوّل. ولم تكن تلك الحكمة حكمته، لقد سمعها من مسرحيين زملاء أكثر من مرّة، ولم يعرف إن كان إصرارهم هذا سببه أنهم يحبون مدعوِّيهم إلى حدّ لا يسمحون لأنفسهم معه أن

يجرِّبوا عروضهم الأولى فيهم، أم لأنهم كانوا يحبون أنفسهم إلى حدّ أنهم يريدون أن يكونوا جميلين دائمًا في أعين أصدقائهم؟!

***

وجود الدكتور كان كافيًا لإعادته إلى وصايا بريخت ووصايا فريق التّدريب المسرحي السُّويديّ. إذ بين حين وآخر، يجد نفسه متلبِّسا بدوْر المُشاهِد أيضًا.

إحساس سليم بأنه أمام مصيره، جعله يقبض بكامل جسده على عرضه المسرحي؛ يفلتُ جسده فيعيده بالدَّوْر، ويفلت الدَّورُ فيلحقه بجسده ويعيده إلى حيث يجب أن يكون.

لم يكن حضور الدكتور أقلّ قسوة من مثول سليم بين يدي لجنة تحكيم ستقرر مصير حياته. كلّ حركة ليد الدّكتور باتجاه ذقنه، أو عينه، أو قمّة رأسه، أو رقبته، كانت تعني شيئًا، ولم تكن قدماه وقد راحتا تتبادلان الأدوار في اعتلاء إحداهما الأخرى، لزمن يطول أحيانًا أو يقصر، أقلّ قدرة على التعبير عمّا يفكر فيه.

أما ما كان كافيًا لأن يُلقي ببعض السَّكينة في قلب سليم، فهو يقينه بأن لهذا العرض نهاية آخر الأمر!

***

ضجَّت الساحة بتصفيق لم يكن بمستوى ذلك الذي سمعه في المرّة الأولى، لكنه كان كافيًا لتحويل السّاحة الترابية في عينَيْ سليم إلى حقل أخضر، وتصاعد التّصفيق أكثر حين انتصبَ الدكتور على قدميه وقاد الجمهور بنفسه. لكن كلّ تلك الحرارة لم تكن قادرة على إذابة قامة الممثل، ولو قليلًا، بحيث تنحني أمام هذا الحبّ. فقد كان قلقًا من تلك الوجوه التي استدارت للوراء باحثة عمّن تحييه في العرض الأول، ناسيّة أن الممثّل

فوق الخشبة. لكن الأمر لم يكن قاتلًا كالمرة الأولى، لأن عدد الوجوه التي استدارت كان أقلّ بما لا يقاس.

قبل أن يهبط، كانت فتاة لا يُشكُّ لحظة في أنها جاءت من خارج القرية، تصعد الخشبة برشاقة وتناوله وردة حمراء من تلك التي استخدمها في واحد من أرقِ مشاهد المسرحيّة، وتختتم تحيَّتها بقُبْلة أفسدتْ مزاجَ كثير من الحاضرين!

***

حين خرج سليم من تلك الزّاوية التي تُتيح له تبديل ملابسه على عجل، وجدها أمامه، الفتاة ذات الوردة الحمراء، وصاحبة أول قُبلة تطبعها مُعجَبة على خدِّه.

- وردة. قالت له.

امتدت يده إليها بالوردة، التي احتفظ بها، تعيدها، وقد فوجئ تمامًا.

- لأ. اسمي وردة!

ضحك بارتباك. بداية لا تشير إلى فطنة. آلمه ذلك.

- يخرج الممثّل من العرْض شبه مغمى عليه. اعذريني.

- لا بأس.

وكما لو أنّه وقع في الحبّ، أحسَّ بكلّ ما فيه يرتجف، وحين اقترب الدكتور، شدَّ على يده، ولكنه لم يصل به الأمر إلى أن يقبِّله، كما فعلت الفتاة أمام الجميع، أو كما فعل سواها في السّاحة!

- أينه؟ سأل الدكتور.

- لم ألمحه، لقد قال منذ البداية أنه لن يحضر. رد سليم.

- حسنا فَعل!

- أتظن ذلك؟! قال سليم بارتباك.

- أترى غير ذلك؟ لقد كنتَ رائعًا، وأظنّ أن هناك أشياء مهمّة يمكن أن نتحدَّث فيها غدًا.

وانتهى الحوار بيد الدكتور التي راحت تُربِّت على كتف سليم بإعجاب، وبغمزة لا يخفى معناها من عينه اليسرى إشارة للفتاة.

***

- لا تسكنين هنا؟ سألها.

- صحّ.

- في رام الله؟

- برضُه صحّ.

- تعودين معي، إن أحببتِ.

- ممكن. ولكن لا تنس بقية المعجبين!

***

في الطّريق قالت بإعجاب لا يخفى: أنت كتبت المسرحيّة وأخرجتها ومثّلتها. كنز مواهب!

- كتبتُها وأخرجتها ومثلْتُها، نعم. أما كنز مواهب، فلا أظنُّ ذلك.

- دع الجمهور يحكم يا أخ! قالتها، وضحكت بعذوبة لم يعرف مثلها من قبل.

هزَّ رأسه، كما لو أنّ الأمر لا يعجبه.

- كيف استطعتَ تخيُّل شخص بهذا الجمال؟

- ماذا؟

- كيف استطعتَ تخيُّل شخص بهذا الجمال؟ واستدارت إليه بكامل جسدها، رافعة قدمها اليسرى فوق مقعدها. وهي تضيف: يا عم!! (كن جميلًا ترى الوجود جميلا!)

- شكرًا.

- عليك أن تنتظر ما سأكتبه عنك، سأفاجئك بكلام لم يُقل من قبل.

- تعنين، في صحيفة؟

- يلعن الشيطان، ألم أقل لك بأنني صحفيّة؟!

- لا.

- يلعن الشيطان كمان مرّة! وضحكت بعذوبة أعمق. ودون أن تبتعد بنظرها عنه قالت: بالمناسبة، هل تعرف أن رئيس التحرير، شخصيًا، هو الذي أوكل إليَّ هذه المهمَّة.

- رئيس التحرير؟!

- وسأعترف لك انها المرّة الأولى التي يوكل إليَّ رئيس تحرير مهمَّة وأكتشف أنني أحبّها. تعرف، حين يُوصي رئيس التّحرير بشيء، فإنك تكون على يقين من أنه ينوي زجّكَ في موضوع لا يملك إلا أن يُجامل فيه. أما إذا كان خارج "رام الله"، فإن ذلك يعني أنه يريد تعذيبك! أترى خبرة مثل خبرتي لا يُستهان بها. وضِحكتْ. ولكن قلْ لي، هل تعرفه شخصيًا؟

- مَن؟

- رئيس التحرير، يا عَم خلّيك معاي؟!

- معك! لا. لا أعرفه.

- أرجو ألا تكون من أصحاب الواسطات الكبيرة التي بات حجمها اليوم أكبر من حجم البلد!

- أنا؟! أعوذ بالله.

امتدَّت يدها إلى شعرها، رفعته، قليلًا، وتحت ضوء سيارة مُقْبِلَة سطع في الظلام، أبيضَ ناصعًا ودقيقًا عنقُها الجميل.

وجد نفسه طائرًا فوق بساط من البهجة، فامتدّت يده إلى المسجِّل، انطلق صوت مطربه المفضل يغني (تخسر رهانَك)، لكنه تدارك الأمر بسرعة وحرَّك الشّريط إلى الخلف إلى أن توقَّف من تلقاء نفسه، فاندفعت الأغنية التي تحتلّ مقدمة الوجه الثاني، كما يشتهي، لتملأ حجرة السيارة والليل على جانبي الشارع (لو كلِّ عاشق).

- أرجوك. بلاه.

- لا تحبينه.

- أبدًا. لكن يبدو أنك تحبّه كثيرًا لتتذكّره الآن.

- شوي!!

عاد صوت "جورج وسّوف" إلى عتمة الشَّريط من جديد.

- بتعرف. الأشرطة تشبه الفانوس السِّحري، تفركه، فيُطلُّ الجني. آسفة لا أقصد شيئًا. ولكنّها تشبه الفانوس السّحري، شريط الفيديو فانوس مطوَّر يُريكَ الصّورة ويُسمعُكَ الصوت. كلّ هذه الأشياء مستوحاة من الفانوس السحري، والتليفون أيضًا!

كان يحسُّ أنها تنظر إليه طوال الوقت، وأربكه أكثر أن تُدرك استياءه من موقفها الحاسم من "جورج وسّوف".

- باستطاعتي أن أُشعل ضوء السيارة الدّاخلي؟ قالت ذلك في الوقت الذي راحت فيه يدها تتحسّس السّقف.

انتشر النور، فأحسّ أنه بوغتَ متلبّسًا بشيء لا يريد لأحد أن يعرفه.

- لا أحبّ أن أحادث الناس في العتمة، لأنني أشعر بأنني أُحدِّثُ نفسي. مجنونة؟ أليس كذلك؟

- لا، لا بالتأكيد.

- الحمد لله، أنت أول شخص يؤكِّد أنني عاقلة.

وضحكتْ.

***

قبل أن يصل دوّار "المنارة" بقليل، راح يفكِّر: هل يـدعوها لبيتـه، أم يعرض عليها أن يوصِلها لبيتها.

مُحرجًا كان الأمر. لكنّه وجد الحل..

- لا أعرف إن كان علي أن أدعوكِ، أم أوصلك إلى بيتك!

- لا هذه، ولا هذه. لم يزل الوقـت مبكـرًا، وأحـب أن أفتـل قلـيلًا في الشوارع قبل أن أعود. عادة. مش قلتلك مجنونة، لم تصدِّقني!

***

- تقرأ الموضوع بعد غد، وتهاتفني؛ سأكون في الجريـدة، بـين الـسّاعة الثانية والرابعة ظهرًا. إذا لم تتحدَّث سأعرف أن الموضوع أعجبك أكثر مما يجب. أو أنك خجول أكثر مما يجب، وضحكت.

خطتْ خطوتين بعيدًا عن السيارة ثم عادتْ، فتحتِ البـابَ، انحنـت قليلًا، ثم سألته: هل تعتقد أن وجود اسمي في المسرحيّة مُصادفة؟!

***

بمجرّد أن أدارت ظهرها، أحسّ سليم نصري أنه أكثـر كـائن وحيـد على وجه الأرض، أحسّ بأنها أوّل إنسان كسَرَ حدودَ عزلته، أول إنـسان يعرفه، وآخر إنسان ربما.

مُحلِّقًا في مقعد سيارته كان، إلى أن أفسد عليـه تحليقـه زامـورٌ غاضـب لسيارة التصقتْ به من الخلـف، مـع إشـارات متلاحقـة بالـضوء العـالي يرسلها السّائق بعصبيّة.

وبدل أن يمضي إلى البيت، وجد نفسه يبتعد بالسيارة قلـيلًا، يوقفهـا، ويعود سالكًا الطريق الذي اختطفَ الوردة منه.

13

- تزوَّجتَ؟ سأله ابن خاله.

- كان لي أُسرة.

- كان؟ ولكننا لم نسمع بهم، أو نراهم!

- تراهم، صعب، تسمع بهم ممكن!

***

خمس سنوات، تلك التي أمضاها ياسين في "تلِّ الزّعتر"، بعد خروجه من أحراش عجلون.

- كان الأكثر فقرًا مما رأيت من منافي ومخيمات الفلسطينيين، والأكثر أملًا ربما. قلتُ يا ياسين: هذا مكانك. فهنا يمكن أن تكون جزءًا من قوّة الأمل، بعد أن خلَّفْتَ رمادَه وراءك. لكنني لم أكن أدرك حتى ذلك الوقت، أن قوّة الأمل هي المطلوب رأسها في حكايتنا أكثر من أيّ شيء آخر.

بحث ياسين عن بيت صغير يسكنه، بعيدًا عن فوضى مكتب التّنظيم.

- تحتاج لخصوصية ما، كي تتذكَّر أنك جزء من البشر، لا مجرد رقم بين الأرقام، تحتاج مسافة فاصلة، تتأمل فيها روحك، بعيدًا عن عيون

الناس. هذه المساحة دائما هي كونك الصغير، ترتِّبه: هنا مصباح، هو بمثابة شمسك الصغيرة، حوض نعناع ودالية يؤكدان وجود الأرض والحقول خارج أسوار التَّنك، نافذة تستدْعي الفضاء، وإن كان ثمة أُسْرة، فهي عالمك الصغير. فكما تعرف، لم يكن باستطاعة الإنسان، في أي يوم من الأيام، أن يحتضن الناس كلهم دفعة واحدة، ويدافع عنهم كلّهم دفعة واحدة، يردُّ عليهم أغطيتهم، إن بردوا دفعة واحدة، يتكفّل بإطعامهم، أو إرواء عطشهم دفعة واحدة. كان لا بدَّ من وجود هذا العدد القليل، الذي قد يكون أسرتك أحيانًا، أو أصدقاءك، حتى تقول، بهم، للبشر، إنك تحبّ هذا العالم.

***

من عادات ياسين التي لم يتخلَّ عنها، ذلك الخروج المبكر، دوْرة في المكان لتأمُّل روح العالم وهي تستيقظ، الحياة وهي تُولَد، انسحاب العتمة عن جدران البيوت وتراب الأزقة.

ذات يوم وجد نفسه وجهًا لوجه، مع كائن صغير، لم يتجاوز السّادسة من عمره، فوجئ ياسين به، كما لو أن فكرته عن ميلاد العالم قد تجسَّدتْ أمامه حيةً.

- صباح الخير.

- صباح النور. ردَّ الطفل.

في يده قطعة خبز وفي الأخرى قطعة جبن أصفر.

وخُيِّل لياسين، لفرط الصّمت، أنه سمع أسنان الطفل وهي تغوص في الخبز.

استدار نصف دوْرة، لإلقاء نظرة أخرى. ففوجئ بصوت الصغير ووجهه معًا: متأسِّف. لم أقلْ لك تفضّل. تفضَّل!

وامتدَّت اليدان الصغيرتان نحو ياسين بما فيهما.

الشيء الغريب الذي حدَث، أن حركة الصغير كانت أشبه برجاء لياسين أن يحمله، أكثر من أيّ شيء آخر.

- أحسستُ بأن ذلك الطفل جزء مني، أحسسته بين يديّ. صحة وعافية. قلتُ له.

- يا زلمة ما في إشي من الواجب! ردَّ الصغير.

- بكيت، بكيت لأنني فوجئت بأن جمالًا بهذا الجلال لم يزل موجودا في هذا العالم، هنا، ولم أره سوى الآن. الله!! كم أنت أعمى يا ياسين، أنت الذي تقول إن عينيك لم تفوِّتا مشهدًا جميلًا حيثما مررت.

في الصّباح التالي كان يعود للصغير وحده، الصغير الذي ما إن رآه قادمًا باتجاهه حتى قال له: حماتك بتحبَّك! جئت في وقتك، لسّه ما بديت أَكِلْ. تفضّل. دعاه وهو يُفسح له مكانًا بجانبه على العتبة.

- لا أفطرُ الآن. ردَّ ياسين وهو يجلس.

- على الأقل لُقمة! واقتطع لقمة، لم تكن أقلّ من نصف قطعة الخبز التي في يده، وناوله إياها، قبل أن تمتدَّ يده لقطعة الجبن التي وضعها على فخده ليقسمها نصفين.

- إسمي نمر.

- نمر. أهلا بالنِّمر.

- شكرًا.

أحبه ياسين، وأدرك أن الصغير أحسّ بأنه يصفه، أكثر مما يناديه باسمه.

- أول مرّة يقول لي فيها واحد: أهلا بالنمر. دائما يقولون: أهلا نمر.

- ما الذي يجعلك تصحو مبكرًا في وقت كهذا؟

- النار، النار التي في الدّاخل. عليك أن ترى عددَ الذين يعيشون في هذه الغرفة لتفهمني، على الأقلّ في هذا الوقت تكون العتبة لي، لحالي.

بعدين، يلزمني نَفَس قبل أن يستيقظ الناس ويملأوا الشوارع. ثم صمت. بعد قليل أضاف، وكأنه يحادِثُ نفسه: قبل أيام حلمتُ أنني أفطر على شطّ البحر. سألتهم عندما استيقظوا: وين البحر؟ قالوا لي: بعيد! صحيح هذا الكلام أم أنهم يكذبون عليّ كعادتهم؟

- الصحيح، عليكَ، بعيد.

- وعليكَ، بعيد كمان؟

- شوي.

- إن كان بعيد عليك شوي، فهوَّ بعيد عليّ شوي.

أصبح النّمر جزءًا من حياة ياسين، جزءًا من يومه. وعندما عرف أن أباه استشهد في عملية داخل الأرض المحتلة، أحسّ بأنه ابنه.

***

لم يكن ياسين قد تجاوز الحادية والثلاثين، وكان الشيء الوحيد الذي يحاول وقْفَه هو الزّمن.

- أن يقف، قليلًا، ليُتيح لي أن أفعل شيئًا أحبّه. لم يمهلني لأن أنهي أيَّ شيء بدأته. ولذلك قلتُ ذات يوم: سأفعل أجمل الأشياء في أقصر وقت ممكن. أنظروا إلى الناس؟ قال وهو يحدِّق في وجه ابن خاله. هناك أشياء يمكن أن يفعلوها في أيام، ولكنهم يتحايلون على أرواحهم كي يفعلوها في سنوات. يحبُّ شخص فتاة من النظرة الأولى وتحبّه، ولكنهما يمضيان، أحيانا، شهورًا قبل أن يقول الواحد منهما للآخر: مرحبًا! تصوَّر (مرحبا!) هذه تحتاج إلى شهور. جنون! هل هناك جنون أكبر من ذلك. تصوَّر لو أنهما قالا فورًا: مرحبًا. ما الذي يمكن أن يحدث عندها؟ ببساطة سيزيد عمر الواحد منهما شهرين لأنهما كسبا شهرين ضائعين...

وإذا كان ثلث عمرك تقضيه في النـوم، فـإن الثلـث الآخـر تقـضيه في الانتظار، ورغم أن بين يديك ثلثًا كاملًا، إلا أنني لم أر شخصًا واحـدًا في حياتي يريد أن يعيش ذلك الثلث اليتيم...

تعـرفين يـا أم الوليـد: صـحيح أن المـسألة حـين تتعلَّـق بالحـب، أي بالجمال، تهمّني أكثر، ولكن الأمر لا يقف عنـد هـذا الحـدّ، فأنـت تكـره إنسانًا، وبدل أن تزيحه عن صدرك، تواصل القبول به فوقه، كما لو كنـتَ مُلزمًا به، لأنّك لا تجرؤ على أن تقول له: تفضَّل واخـرج مـن حيـاتي. ثـم انظر النتيجة في النهاية: الذي تحبه لا تستطيع أن تدعوه إليـكَ، والـذي لا تحبه لا تستطيع أن تقول له ابتعد!

***

وسط تدافع الأقدام في شوارع الطين، ولعنات باعة الخضار لـشتاء لا يرون منه سوى (غائطه) كما قالها مـرّة "أبـو سـعد" صـاحب الـدّكان، وسيارات وجد سائقوها الجرأة على جعل الوضع أكثر سوءًا بـإصرارهم على الوصول إلى أماكن ليست مُعَدَّة لها، أبصره هناك، مـستندًا إلى حـائط (الصِّحّية) يبكي.

كانت المرّة الأولى التي يراه فيها بعيدًا عن تلك العتبة.

- ما لك؟

وكما لو أن السؤال فتَّحَ ما تبقى من منابع الدّمع، ارتجَّ جسده الـصغير غيرَ قادر على لملمة حروف الكلام من بين شهقاته.

- اهدأ.

- كيف أهدأ. ضاع مستقبلي؟!

- كيف ضاع مستقبلك!!

امتدت يده إليه بالشهادة المدرسيّة، وقبل أن تـصل ليـد ياسـين، كـان يقول له: سقطتُ في الحساب. شوف. ضعيف. ضاع مستقبلي!

- يا زلمة، خففّْها، لم يضع مستقبل أيّ إنسان لأن تقديره جاء (ضعيف) في الأول الابتدائي.

وبصعوبة استطاع ياسين أن يعيده لبيته.

- أروِّح للدّار، أيّ دار، بعد أن ضاع مستقبلي؟

لكنه سار إلى جانبه حتى أوصله تلك العتبة.

***

صبيحة اليوم التالي، لم يره هناك، حيث يجب أن يكون، فراح يقطع الشارع ذهابًا وإيابًا، حتى أضاءت الشمسُ الزّقاق.

فاندفع يطرق الباب.

- أما الشيء الذي لم أكن أعرفه، فهو أنني كنتُ، ودون أن أدري، أطرقُ باب أسرتي.

14

كما لو أنها طالعة من واحدة من أغاني "فيروز" وجدها أمامه.

- لم تكن أقلّ من أغنية جديدة رائعة أسمعها للمرّة الأولى.

بصحبة صديقة لها كانت تتقدَّم نحوه، وحين أصبحتْ قربَـه أطلقـتْ تلك الضحكة العذْبة، تحت ذلك المطر الغزير الذي ينهمر عـلى وجهـها، متسللا من بين غدائرها.

- أحسستُ بأنني أحلم.

حين تقاطعا، وغـدتْ خلْفـه، أحـسّ بـأن ثمـة حيـاة بأكملهـا وراءه يختطفها منه المطر.

- خفتُ عليها.

وقف، استدار، حـيَّره أنهـا كانـت تـسير دون أن تُعـير انتباهًـا لتلـك الغزارة السّاقطة من السماء، عكـس صـديقتها التـي راحـت تتَّقـي المطـر بيديها.

- وخفتُ، ولكنني قرّرتُ أن أعود.

راح يحثُّ خطاه، أدركها، حين أصبحَ جوارها التفـتَ إليهـا، تنبَّهـتْ لوجوده الذي بدا لها أكثر قربًا من اثنين لا يعرفان بعضهما البعض ويجدان

نفسيهما في طريق واحد، لدرجة أن مظلّته كانت تحمي كتفها وبعضَ شعْرها من ذلك الانهمار.

توقَّفت، استدارت إليه، فوجدتْ نفسها تحت المظلَّة، في حين غدت صاحبتها التي لم تنتبه لما يدور على بعد خطوات، لكنها عندما التفتتْ وجدتْ صاحبتَها وجهًا لوجه معه؛ "أحد معارفها ربـّما". راحت تركض حتى احتمت بمظلّة واحد من المحلات التّجارية.

- تسمحي.

مد يده بالمظلّة إليها.

- شكرًا.

قالتها بجفاء.

- لا تريدينها، إذن أرجو أن تُمسكيها لي للحظة.

وبدا كأنه مُنشغل في البحث عن شيء في جيبي سترته.

وبمجرّد أن أمسكتْها تراجع خطوتين، نظرتْ إلى وجهه الذي غمره المطر في لحظات، ذلك الشّاب الذي لا تستطيع أن تقول سوى أنه يدعو للثقة.

- شكرًا. تبدين أجمل بها. قال.

ثم راح يركض في الاتجاه المعاكس لها؛ في الوقت الذي وقفتْ تراقبه دهِشَة أمام وقْعِ المفاجأة.

حين وجد نفسه على مسافة تكفي لكي يُلوِّح لها بيده، وقف، فراحت يده تتحرَّك كما لو أنها ترقص في المطر.

من بعيد رأى يدًا تخرج من تحت المظلة قليلًا وتُلوِّح له.

***

حين ظنتْ أنه اختفى للأبد، عاد يسير خلْفها، يراقب مظلّة سوداء مثل كلّ المظلات، لكن تلك التي تحملها لا تشبه سوى نفسها.

بعد ثلاثة أيام، وجد نفسه أمامها ثانية. تقاطعا، لم يكن ثمة مطر يغمر "بيروت"، تجاوزها كما لو أنه لم يكن ينتظرها؛ وفجأة سمع النداء الذي تمنّى أن يسمعه: إذا سمحت!

واصل سيره كأن شيئًا لا يحدث خلْفه.

- إذا سمحت. قالتها مرّة أخرى. واندفعتْ بخطى مسرعة.

توقَّفَ.

- أنتَ، أليس كذلك؟

- ماذا تعنين؟

- صاحب المظلّة.

- آه ذكّرتيني؟

- لا تقل لي أنك نسيت؟

- تقريبًا.

- تكذب، لأنني لم أنس. لا يمكن لأحد أن ينسى شيئًا كهذا؛ إن حدث، لا يحدث سوى مرّة واحدة في العمر. أم أنك توزِّع المظلّات، هكذا، على عابرات الطُّرُق أيام المطر؟!

- فكرة، لم تخطر ببالي، ولكن يمكن أن أفعلها بالتأكيد!

- لكنها لم تخطر لك سوى هذه المرّة، أليس كذلك؟!

- بصراحة؟ يعني!

- ما هذه الصراحة، إذا كان اسمها (يعني)؟

- بصراحة، كنت مستعدًا أن أمضي العمر كلّه تحت المطر كي لا تبتل ضحكتك.

- ضحكتي؟

- ضحكتك. كان على "فيروز" أن تُغنّيكِ. أحسستُ بأنك الأغنية التي يجب أن تُغنيها فيروز فورًا، الأغنية الكاملة التي يحاول أن يُغنيها المغنّون ويكتبها الشعراء ويلحّنها الملحنون منذ الأزل.

- شوي شوي عليّ. شو ها الجرأة؟!

- ربما لأنني أتكلّم للمرّة الأولى. عن إذنك!

استدار ليمضي.

امتدّت يدها أمسكته من ذراعه.

- على وين؟!

- أُكمل طريقي.

- بهذه السهولة؟

- بهذه السهولة.

- وهل تعتقد أنني مجنونة؟

- لا. هل قلتُ شيئًا كهذا؟

- لا، لم تقل، ولكنك تبتعد كما لو أنني مجنونة. تعال. لا تنسَ أن مظلّتك عندي، ويجب أن أعيدها.

- اعتبريها هديّة!

- لقد اعتبرتها. هل تظنّني سأتخلّى عنها، حتى لك؟!

سارا صامتين، لكن ثمة شيئًا كان يرفع أقدامهما عن الأرض، أحسَّا بالهواء يلعب بهما، يتحكَّم بخطواتهما.

وصامتين شربا القهوة.

- اسمي نجوى.

- ياسين.

ولم يعودا بعدُ، قادرين على التوقُّف عن الكلام.

***

- قلت لأم النّمر. خلاص، أظنكِ سترتاحين مني.

- ستسافر؟!

- لا، بل سأتزوج.

- أم النّمر آخر من يعلم! ومَن العروس؟

- صبيَّة، ستحبينها.

- طبعا صبيَّة! وسأحبها غصبًا عنّي، حتى لو لم أحبّها، أليست زوجة المستقبل؟

- متى سأراها؟

- قريبًا. ولكن سآخذ رأي النّمر أوّلًا.

- وهذا شو بِفَهْمُه؟!

- لا تستهيني به، فهو الوحيد الـذي يحـسب حسـاب المسـتقبل منـذ اليوم!

- بجدّ، بدّك توخذ رأيه؟!

- طبعًا.

- يا ويلي. إنجنيت؟

- وأريده أن يساعدني.

***

- كيف سأعرف البيت. سألته نجوى.

- اسألي عن "المستوصف"، وعندما تصلينه، فقـط اتبعي نفسك، وستجدين أنك أمام بابي.

- حُزَّيْرة هذه؟

- أبدًا.

- (الزَّعتر) مش ناقصة مجانين. بعدين من وين جايب كل ها الـورد؟ قالت إحدى جارات ياسين له وقد رأته والنّمر يعملان بجدّ. وأضافت: ثمن هذا الورد يكفي لأن أعيش شهرين.

- أما أنا فيكفيني لأن أعيش به الحياة كلَّها!

ثم مال نحو أذنها ووشوشها. أشرعتْ عينيها بفرح، وقالت: بجدّ؟! أيْ قول من الأوّل. مبروك.

- وطّي صوتِك.

- شو وطّي صوتِك؟ سأزغرد.

تركاها تزغرد وسارا معًا حتى المستوصف وهما يحملان باقتين هائلتين من زهور الجوري الحمراء.

واقفين بقيا هناك، إلى أن لمحها ياسين قادمة من بعيد.

- جاء دورك. قال للنّمر.

(نجوى.. اتبعي الوردة!)

كان ياسين قد كتب الكلمات الثلاث بعناية على ورقـة كبـيرة بيضاء ألقى على جوانبها عدة أزهار. وفي الوقت الـذي راحـت تقـترب أكـثر فأكثر، كان ياسين والنّمر يعملان بهمَّة عالية، مُحوِّلين الأزهـار إلى أسـهم تقود تلك الصَّبيَّة لعتبة البيت!

حين وصلت طرف "المستوصف"، أبصرتْها، أزهـارًا يانعـة حمـراء، اقتربتْ، حدَّقتْ في الورقة، سقط قلبها؛ كأن العالم كلّه ينظر إليها. بحذر راحت تسير متتبعةً خيط الورد المتقطِّع، في الوقت الـذي راح فيـه الأولاد يجمعون الورد الذي تُخلِّفه وراءها، الورد الذي بدا وكأنه يتـساقط منهـا، إلى أن وجدت نفسها أمام بوابة البيت التي عبرتها الورود الحمراء قبْلَها.

تجاوزت العتبة مأخوذة، وقد نسيت تمامًا أن ثمة بابًا خلْفها لا يعبره أحد قبل أن تمتدَّ يده لتطرقَه.

في الحوش الصغير الذي رُتِّبَ كي يكون لائقًا بحضورها، كانت الأزهار تواصل طريقها بثقة نحو عتبة أخرى لغرفة بدت مُعتمةً، لكنّها قبل أن تصلها بقليل أُشرعت نافذتُها، فأسفر المشهد عن كرسيٍّ تحلَّقت حوله الأزهارُ دوائر متتابعة.

عندها سمعت ذلك الصّوت الذي أكّد لها أنها تحلم في الحلم: تفضّلي. عرشك!

بكتْ نجوى كثيرًا ذلك اليوم. ومن بين دموعها قالت: إذا رفض الفلسطينيون أن يعطوكَ لي فسأعلن الكفاح المسلَّح ضدهم!

***

- بعد أسابيع قليلة، كان الجحيم قد قرّر الإقامة في "تل الزعتر"؛ واشتدّ الحصار إلى ذلك الحدّ الذي بات من الصعب على الإنسان أن يلتقي فيه بنفسه. قال ياسين.

***

- ونجوى؟ سأل نعيم.

- نجوى، لا أحد يعرف ما حدث لها تمامًا. جملة واحدة سمعتُها لم تُفسِّر الأمر كلّه، حين طرقتُ بابَ بيتها بعد زمن خُيِّل إليَّ أنه العمر..

- أنتَ ياسين؟ قالت لي امرأة أظنّها أمّها.

- هززتُ رأسي.

- عندما لم تعد تحتمل أكثر، قالت لي نجوى: سأصل للزّعتر، يعني سأصل للزعتر، وعَبْر الحصار. قلتُ لها: سيقتلونكِ.. أقسم أنهم سيقتلونكِ. فقالت لي: وسأقتل نفسي بنفسي إن لم أحاول اجتياز الطريق بين جسدي هنا وروحي هناك.

15

الشيء الذي لم يخطر ببال سليم نصري، أن تكون خشبة المسرح هي الجسر الذي لا بدّ منه للوصول إلى قلب فتاة، يمكن أن تحبَّه.

يعرف أن تجاربه السابقة سلسلة عذابات وأبواب تُوهِمُ أنها مُشرَعة، لكنها لا تُفضي إلى شيء.

يجلس الشباب ويتحدَّثون في ليالي معهد المعلمين الطويلة عن تجاربهم، عن علاقاتهم الغراميّة. يعرف أن البعض كانوا يبالغون. ولكنه كان يحسدهم أيضًا: إنهم يمتلكون الخيال.

ليس يعرف الآن، إن كان سبب خلوِّ قلبه، حرصه على إغلاقه منذ البداية، أم أنه كان شخصًا لا مرئيًا لأيِّ فتاة بعمره.

أما ما أسقطه صريع عذاباته، فهي تلك الذكريات العذبة التي راح يفيض بها قلب ياسين الأسمر.

- كما لو أنه نبع.

حاول أن يعثر على ذلك الفرْق الذي يجعل من شخص مثل ياسين، محبوبًا، قادرًا على بناء حياته وذكرياته حتى في سجنه الانفرادي!

تأمّله سليم طويلًا، تأمّلَ قامته الأقلّ من قامته ارتفاعًا، تأمّل وجهه، تجاعيده التي تنتشر فوق خدّيه بغموض، منطلقةً من تحت عينيه الغائرتين، تأمّل شعره الذّاهب لبياضه الكامل بتسارع غريب، تأمّله وهو يتحدّث، وهو يمشي، وهو يضحك بصوت يرجُّ المكان، تأمّله إلى ذلك الحدِّ الذي لم يعد قادرًا فيه على رفع عينيه عن وجهه.

- بعدين. سأله ياسين ذات مرّة ضاحكًا. كأنني أول إنسان تراه.

ارتبك سليم: أَدرُسُ حركاتك، حتى يكون بإمكاني أن أُقدِّمها بصورة أفضل.

- لا بأس أن تدرُسها، ولكن إياك أن تُقلِّدني تمامًا، فحتى صورتي التي في المرآة لا أحبّها لأنها طبق الأصل عني. وراح يضحك.

***

ذات يوم أوشك سليم نصري أن يوقِعَها في حبّه، تلك الفتاة التي لم تتجاوز التاسعة عشرة من عمرها، زميلته في مسرحيّة العصافير، لكن المخرج اختطفها من بين يديه، بل من بين يدي أحلامه، حين راح يُعِدُّها لأدوار أهمّ تنتظرها في المستقبل!

- لقد اختارت مستقبلَها، كما لو أنني الماضي!

ولكنه اكتشف أيضًا أنه أقلّ من الماضي.

- لو كنتُ الماضي، لكان لي ما يثبت وجودي في هذا المجال!

***

- الحمد لله أنكَ اتَّصلتَ. قالت له وردة. لا أريد أن أسألكَ عن رأيك في المقال. لقد عرفته: أعجبكَ، ولكن ليس كثيرًا.

- بالعكس. أعجبني كثيرًا.

- كثيرًا. ألم نتّفق أنك لن تتّصل إذا ما أعجبكَ لهذا الحدّ؟!

- أعجبني!

- أَها. اعترف. لا يمكن أن أكون قد أصبحتُ عبقريّة بين ليلة وضحاها. ولكن، خطر لي أن أسألكَ بما أنكَ ممّثل مُهمّ، هل تشاهد أفلام "روبرت دي نيرو"؟!

- أحيانًا.

- ماذا رأيت له؟

- لا أذكر.

- لا أحد يُشاهد أفلام "روبرت دي نيرو" ويقول لا أذكر، لا أحد ينسى (سائق التكسي) أو (الثور الهائج)، أو ..، على أيّ حال سأحضرهما لكَ حين نلتقي.

- نلتقي؟

- طبعًا. يعني لازم تتّصل عشر مرّات حتى أحدد موعدًا معك؟! هذه الأيام هادئة، لا قصف ولا حواجز، ولا اغتيالات. معنى ذلك أن باستطاعتي أن أراك، أن أستغلّ هذه الهدنة التي تحرسُها عملية السّلام!

- هل تمزحين؟

- في مسألة الموعد أم في مسألة السَّلام؟!

***

في ذلك المساء أعطى سليم نصري ظهره للتلفزيون، وقرّر أن يبدأ حياته من جديد، ولم يجد أفضل من يوم العرض الثاني، نقطة للانطلاق نحو المستقبل. وقد عزَّزَ ذلك حسّه بأنه ليس وحيدًا كما كان يتصوَّر. فالدكتور أثبتَ أنه مهتمٌّ به إلى حدٍّ فاجأه. والصحافة لم تُقصِّر حينما أرسلتْ صحفيَّة للكتابة عن المسرحية، والصحفيّة التي أصبح لها الآن في ذاكرته اسم هو "وردة" دفعت اهتمام الدكتور واهتمام رئيس تحريرها إلى الأمام خطوات، حينما كتبتْ ذلك المقال الذي سيحرقُ قلب العصفورة

التي اختطفها المُخرج، إذا ما قرأته، هذا إن كانت لم تزل بعد على قيد الحياة!

الدكتور قالها له بوضوح حين أراه المقال بخجل: كنْ معي لأكون معك. ولا تنس، في بلد صغير، مثل بلدنا، لا تحتاج سوى لقليل من الذّكاء وكثير من العلاقات. وإذا رأيت إنسانا مُتعلِّمًا وجائعًا في الوقت نفسه، فقل إنه غبيّ دون تردُّد!

***

- أُحسُّ بأن حياتي تبتدئ الآن. قال لها في (البردوني).

- بدأنا الغزل!

- لا، لا أقصد.

- لا تقصد. هذا أسوأ ردٍّ أسمعه في حياتي.

صمتَ، أدركتِ ارتباكَه.

- لا عليك. أقصْ إيدي إن لم تكن هذه هي المرَّة الأولى التي تخرج فيها مع بنت.

صمتَ..

- الحمد لله، لستُ مضطرَّةً إذًا لقصِّها. قالت.

ارتبكَ أكثر.

- على أيّ حال، أحضرتُ لك الفيلمين. وأحضرت لكَ صورة لـ "مارسيل خليفة".

- مارسيل خليفة؟

- فناني المفضَّل.

ابتلع ريقه.

- هل رأيتَ فيلم "حرارة"؟ فيلم رهيب، يوزِّع قلبكَ بالتساوي بين الشرطي "آل باتشينو" وزعيم العصابة "روبرت دي نيرو". طبعًا، حبي ل "دي نيرو" حسم المسألة لصالحه مع أنه الشّرير وليس البطل. كما ترى للقلب أحكامه! ولكن، هل تعتقد أن خياري سيبقى هو نفسه لو كان الأمر واقعيًا؟ لم تتوَّقع إجابة، فاضافت: حين تتوافر لي نسخة من الفيلم سأريك إياه. حتى أعرف قلبكَ أكثر.

وضع الصّورة على الكرسيّ بجانبه، والفيلمين فوقها. وبين حين وآخر كانت نسمات الهواء تُحرِّك أطراف الصّورة، فيحسُّ بأن مارسيل خليفة بلحيته التي غزاها الشَّيب، يحاول الإفلات من ثقل الشَّريطين اللذين يرزح تحتهما.

- ألا تفكِّر في عرض المسرحية هنا في رام الله، أو ربما في القدس؟

- أظنّ أنني لا أستطيع.

- تظنّ أنك لا تستطيع! لماذا؟

- المسألة معقَّدة.

- لا معقَّدة ولا شي. هل تعتقد أن عدد المسرحيات أكثر من عدد المسارح في البلد؟!

- أصارحك. فكّرتُ في المسألة. ولكن الأمر صعب.

- لا صعب ولا حاجة. أنت الممثّل والكاتب والمخرج، والمسرحية لا تحتاج إلى نفقات إنتاج تُذْكَر؛ فما المانع؟

- المانع؟! لا أعرف.

- بمسرحية كهذه، تستطيع أن تُحرِّك المياه الراكدة هنا، لا في المسرح وحده، بل في قلوبنا. نحتاج شيئًا جميلًا، صورة جميلة، إنسانًا جميلًا، ولا أجاملك، أظن أن مثل هذا الشخص الذي كتبتَ عنه، هو ما نحن بحاجة إليه هذه الأيام، أكثر من أيّ شيء آخر. نحن بحاجة لأن نقول

لأنفسنا، قبل سوانا، إننا لم نـزل جميلين، رغم كـل سـنوات المـوت التـي عشناها تحت الاحتلال. بصراحة، جمال كهـذا، ولـو كـان رمزيًّـا، يجعـل الإنسان يحسّ بأنه كان فوق الاحتلال لا تحته.

وصمتت.

- أقنعتك؟ اعترِفْ.

- ولكنني مقتنع.

- أها. اظهرْ على حقيقتك.

***

- سنفترق هنا.

قالت له بعد أن تجاوزا دوّار "المنارة"، ووصلا تلك النقطة التي كـان توقَّفَ فيها بسيارته ليُنـزلها قبل يومين.

مدَّتْ يدها تصافحه..

- سنفترق هنا. ولكن لا تفرح بهذا، لن أضيِّعكَ.

16

هبط الجحيم على الأرض فجأة، ولم يرفعه شيء حتى اليوم الأخير من الحصار، هبط هنا، في صدر كلّ واحد من أولئك الذين وجدوا أنفسهم وجهًا لوجه مع سماء تتنزَّل منها القذائف، رياحًا من موت، تُذرّي البيوت، وتنعفها في المساحة الضيّقة مثل حفنة ملح سوداء.

- حتى أولئك الذين كانوا يطلقون قذائف مدافعهم، كانوا يعرفون أن مخيمًا صغيرًا، متهالكة بيوته، كتلِّ الزعتر، أوهى بكثير من قوّة النّار تلك. هناك اكتشفتُ لأوّل مرّة أن تدمير البيوت هو آخر شيء يفكِّرون فيه، حين يرسلون كلّ تلك القذائف. وفي لحظة أصبح وصول الإنسان إلى نفسه يتطلَّبُ الكثير من الجرأة؛ لأن وصوله إلى نفسه، كان يعني وصوله إلى روحه، ليتفقَّدها، ينفض غبار الموت والخوف عنها، ويعِدُها بيوم آخر بلا محاصِرين.

لكن ياسين الأسمر، الذي وجد نفسه واحدًا من المقاتلين، لم ينس أن هناك عائلة ارتبط بها، وله فيها ابن، وعليه أن يعرف أخبارها.

- الحصار الذي راح يشتدُّ، خفقَ البشر والحجر معًا، بحيث أضحى الوقت طريقًا للهلاك. لكنَّ ثمة شيئًا يُسمى الحياة لم يكن من السهل التّنازل عنه. قلت لامرأة مصابة، سنأخذك للمستشفى، قبل أن تنزفي

دمك كلّه، فقالت لي: وهل تعتقد أن الوصول للمستشفى أسهل من الوصول للماء؟! تريد أن تخدمني، اربط لي هذا الجرح، ومدّت يدها لي. هل تعتقد أن تنكة ماء دفعتُ ثمنَها جرحًا كهذا، دمًا، يمكن أن أتخلّى عنها؟! وظلَّت تنتظر دوْرها في الصّف الطويل ذلك المساء.

كان ثمة فسحة قبل الحصار لأن يتفقَّد تلك الأسرة، وأن يشاركها وجبة طعامها بين حين وآخر؛ وفي أكثر من صبيحة يوم جمعة، حمل ما يكفي لهم جميعًا من طعام لوليمة إفطار.

- تُبالغ في كلِّ شيء قالت له أم النّمر. نصف هذا الطعام يكفي ويزيد.

كانت امرأة على مشارف الأربعين، على جنبيها ثلاثة أولاد، النّمر أصغرهم، وبنتان..

- لم يره أبوه، الله يرحمه، سوى مرّة واحدة، لم تكن عمليات زمان مثل عمليات هذه الأيام، أضرب واهرب، كانت أشبه برحلة طويلة، قلتُ له مرّة- البحّارة لا يعيشون في البحر مُددًا كهذه. فقال لي: البقاء في الأرض المحتلة أكثر أمانًا، فالخطر الحقيقي ليس القيام بعملية، بل الطريق إليها، ففي كلّ مرّة عليك أن تقطع الحدود، وأن تنجح في التسلل دون أن تُطْلَقُ النارُ عليك من جانبيها. تعرفين، نحن نشبه أولئك الذي كانوا يتسللون للخليج بحثًا عن عمل، إذا عبروا حدود الموت، تكون فرص الحياة في المكان الذي يصلونه أفضل.

كلّما دخل ياسين الأسمر البيت، كان يحسّ أن ربَّ الأُسرة بانتظاره بعينين وادعتين لم تستطع البندقيةُ المُعلَّقةُ على الكتف والمسدّس والقنابل اليدويّة الأربع على الخصر النَّيْل من براءتهما.

- حين أدركت الأمّ ما يدور في داخلي، قالت لي، شوف أنا ما إلي أخوة، ويشهد الله إنك أخوي.

رد ياسين: وانتِ أختي.

- لا تتردد في أن تأتي وفي أيّ وقت، ولـيس عليـك أن تطـرق البـاب، حتى.

ولكنه حين طرق الباب في ذلك الليل المجنون، ذلك الليل الذي لم يعد الحصار فيه وسيلة قتْل ناجعـة، ولا طلقـات القنّاصـين، حـين انهمـرت القذائف فجأة من كل مكان؛ ردَّتْ أمُّ النمر من الدّاخل: مين المجنون اللي جاي في ها الوقت؟

- أنا!

- أدخل.

- لا. أنتم الذين يجب أن تخرجوا.

وأضاءت قذيفة المكان حوله، فالتصق بالحائط.

- نخرج! لوين؟

- يا أختي هذا مش وقت مفاوضات، أخرجوا، وابحثوا عن أيٍّ ملجأ تختبئون فيه.

***

- هل رأيت النّمر وأهله في أيّ ملجأ؟ سألتُ القائد "أبو حديد".

- ليس في الملاجئ التي دخلتها.

- وناولني رغيفًا ساخنًا.

- خبز، وساخن!

- لا تتصوّر المعجزة التي تتحقّق حين تمتدّ أيادي الناس لتعمل معًا.

كانت المَهمَّة التي قرَّر أبو حديد القيام بها ،حين راح الحـصار يـضيق، والخبز يقـل، أن يجمـع النـساء مـن الملاجـئ، ويطلـب مـنهن أن يعجـنَّ ويخبزن. هكذا عادت الحياة تجري من جديد، حين رأوا الخبز ثانية يعود.

***

يعرف ياسين أنهم سيعودون لتفقُّد بيتهم، أو البحث عن أشياء صغيرة كانوا تركوها، أشياء مهملة منسيَّة، أصبحتْ فجأة ضروريّة. هو نفسه عاد ليبحث عن أوعية بلاستيكية، وحفنة عدس منسيّة من زمن طويل فوق أحد رفوف المطبخ. لكنه حين وصل لم يجد البيت.

تلفَّتَ حوله ليتأكَّد من أنه في المكان الصَّحيح، ولم يكن يدلُّ على دمار البيت سوى الدَّمار الأكبر المقابل له، دمار "مصنع بوتاجي" الذي احترق، وذلك الملجأ الذي انهار على من فيه، فماتوا كلّهم، أكثر من ثلاثمائة وخمسين شخصًا.

بعد شهر رآه ياسين الأسمر على عتبة بيتهم المدمَّر، خُيِّل إليه للوهلة الأولى أنه يحلم، يتخيَّل، لكن عينيه لم تخدعاه؛ إنه هو.

راح يركض نحو ذلك الجسد الصغير الملتفِّ على نفسه، غارقًا في البكاء، الجسد الذي ما إن أحسَّ بحركة الأقدم قربه، حتى رفع رأسه، وألقى نظرة يائسة من بين دموعه على القامة المنتصِبَة أمامه. وحين عرف صاحبها راح يردِّد

- ضاع مستقبلي.

- هل حدثَ لأهلك شيء؟

- لا.

وأمعن في البكاء أكثر.

- ولكن، ضاع مستقبلي.

- اهدأ، ما الذي حدث؟ سأله ياسين وهو يضمُّه بذراعه، ويراقب بحذر ليلةَ قصفٍ عشوائيّ لا يستطيع المرء أن يعرف فيها المكان الذي ستسقط فوقه القذيفة التالية. وللحظة بدا أن النّمر غير معنيٍّ بذلك الخطر الذي يُحدِّقُ بهما في هذا العراء.

- كتاب العربي احترق. وكتاب الحساب، شوف شو اللي باقي منه.

وامتدت يد النّمر ببقايا كتاب لم يُبقِ الحريقُ الذي التهمَ أطرافه والشظيةُ التي عبرتْ منتصفه، أيّ معنى للمعادلات التي كانت تملأ صفحاته.

ألقى ياسين نظرة على الكتاب، وقال له: ولا يهمّك!

- شو ولا يهمْني، ضاع مستقبلي!

وبدا، كما لو أن القذائف استشعرتْ حرارةَ جسديهما في المكان، فراحتْ تقترب أكثر.

حمله ياسين، وراح يركض.

- أنزلني، أريد كتاب الحساب.

انطلق النمر متفلّتًا من بين يديه، في الوقت الذي انزلق حزام البندقية عن كتف ياسين، فراحت ترتطم بمؤخرته، مصدرة صوتًا غريبًا كما لو أن شخصًا ما يعدو خلفه في الهواء.

واقتربت القذائف أكثر، ألقاه على كتفه، كان خفيفًا مثل كوفيّة، وهُيئ لياسين أن أيّ هبة هواء ستُلقي به بعيدًا. تشبَّثَ به أكثر، قابضًا على قدميه.

- أنزلني.

لن نقف إلاّ حين نصل أهلك. أين هم الآن؟!!

وفجأة، أحسَّ ياسين بأن الكوفيَّة طارت عن كتفه، ولكنه لم يتوقّف؛ لقد أحسَّ بذلك الصوت الرّهيب يعبر قرب أذنه، يلوك الهواء وينفجر أمامه، على بعد عشرة أمتار لا أكثر، مُصدرًا ذلك الوميض الخاطف الذي يُعمي البصر.

توقّف ياسين في عتمة الضوء، كان الانفجار أشبه بسدٍّ أغلقَ الطريق أمامه. تفقّد يده القابضة على قدمَي النّمر، كانت هناك، وكانت القدمان تتحرّكان كما كانتا منذ مغادرة بقايا البيت، وهبَّ هواء ساخن آخر قرب

وجهه، تتبَّعَ صعود القـدمين إلى كتفـه، ارتجـافهما الـذي تلاشـى بـبطء، وعندها أدرك أن هوَّة مرعِبة قد انفتحتْ، تبدأ من حافـة جـسده وتنتهـي بالسماء.

لم يكن هناك سوى النصفُ الأسفل من جسد النّمر، النصف الملتـصق بصدر ياسين، وما تبقّى كان الفراغ، الفراغ الـذي خلَّفتـه القذيفـة فـوق كتفه، الفراغ الذي راح يتفلَّتُ، الفراغ الذي راح يُشير بحرقـة الـصّدى، دون جدوى، إلى كتاب الحساب.

17

- لم تزل عيوبك كثيرة. قال الدكتور لسليم نصري.

نظر سليم إلى نفسه.

- لا أعني طريقة لبسك المُزرية.

- أتعني عيوبي كممثّل؟

- لا، في هذه أظن بأنك موهوب إلى درجة يمكن أن تُقَدِّم شيئًا مُهمًّا. لكن المشكلة فيك أنت، تتعامل مع شخصية ياسين وكأنها كتاب مُنْزل من السماء. تتعامل معها كما لو أنك غير موجود. لقد تحدَّثَ ياسين بما يكفي على الخشبة، ولكن ما الذي قلته أنتَ فعلًا؟!

- أنا؟ أنا قلتُ ما قاله ياسين لأنني مؤمن به.

- ها قد رجعنا إلى عيوبك.

- أتعني أنكَ لن تساعد في عرض المسرحيّة؟

- التمويل، هو أكثر الأمور سهولة؛ ببساطة يمكن أن نجده. لكنَّ المشكلة قائمة في النّص نفسه. هناك أشياء كثيرة يجب التَّخفُّف منها، كي يكون باستطاعتك التّحليق.

- ما هي؟

- سأذكر لكَ شيئًا واحدًا الآن، وأريدك أن تجيبني؛ ما معنى ذلك المشهد الطّويل المملّ عن تلك الأمانة الأسطوريّة التي يتحلّى بها السيد ياسين هذا؟ رجل يُكلّفُ بإيصال حقيبة ممتلئة بالمال من "عمّان" إلى "مخيم شاتيلا"، عابرًا كلَّ الأخطار، ومتسللًا أحيانًا؛ تنتهي نقوده الخاصة، بسبب جشع أحد السائقين الذي يشكُّ في أمره، وحين يصل "دمشق" ليلًا، ينام في الشّارع، كي لا يمدَّ يده للأمانة التي يحملها، رغم البرد والرياح وكانون وما إلى ذلك، ويجوع، لكنه لا يشتري رغيف خبز، لأن ما تبقّى معه، ومن (ماله الخاص)! أيضا، بالكاد يكفي أجرة سيارة للوصول إلى "بيروت"!!! لنفترض أن ذلك حقيقي، ولكن سأسألك: هل سمعت بحقيقة أغبى من هذه؟!

صمتَ سليم نصري، لكنه قال في النهاية: لو قالها ياسين نفسه، لكنتُ شككتُ في الأمر، لكن هذه القصّة رواها أكثر من شخص عنه.

- بذمَّتك، مسرحية فيها مشهد كهذا مَن المجنون الذي سيموِّلها اليوم هنا؟!! وحدّق في وجه سليم صامتًا. لا أريد أن أناقشك الآن، فهذا ليس وقته، ولكنني أريد أن أطلب منك خدمة بسيطة.

امتدت يد سليم نصري إلى جيبه، أخرجَ مفتاح شقَّته، ناوله للدكتور.

***

منذ شهور طويلة يتكرّر الأمر.

- تعرف، لا بدَّ من أن يختلي الإنسان بنفسه قليلًا، حتى يستطيع احتمال هذه الحياة!

لسبب مفهوم، لم يكن الدكتور يُحبّذ أن تكون حياته السِّريَّة قريبة من المكتب.

- الشُّغل شُغل. قال له. ثم إن مباهج صغيرة كهـذه، لا تكتمـل إذا لم يكن هنالك جوّ. ليس الممثّل وحده الذي يحتاج إلى جوٍّ مناسب كي يقف شامخًا على الخشبة، "أخونا"!! ليس أقلّ تطلُّبًا.

وضحك الدكتور. كانت المرّة الأولى التي يذهب فيها إلى هذا الحدّ من المزاح المكشوف مع سليم. سليم الذي كان يُمضي بقية الليلـة، بعـد كـلِّ زيارة يقوم بها الدكتور لشقّته، في لملمة بقايا المباهج الـصغيرة، بـدءًا مـن المحارم الورقيّة المتيبِّسة وانتهـاء بتغيـير الـشَّراشف، والأغطيـة، وإعـادة ترتيب الأثاث الذي يبدو باستمرار كما لو أن عاصفة مرَّتْ به.

***

- كانت ليلة أتمناها لك! قال له الدكتور.

عنـدها أدرك سـليم أنّ عينيـه لم تخونـاه، وأنّ البقعـة الحمـراء التـي توسَّطت السرير كانت دمًا فعلًا!

- تعرف يا سليم، بعد ثلاثين سـنة مـن الـزَّواج، تنسى تمامًـا، كيـف كانت ليلة الدُّخْلة!

***

قبل أكثر من أسبوع، دخلتْ حياةَ المكتب، صبيَّةٌ صـغيرة، لم تتجـاوز العشرين من عمرها، سألت سليم نفسه: ممكن ألاقي عندكم شُغل؟

وقبل أن يجيب سليم، كان الدكتور قد وصل. لم يـر سـواها: تفـضّلي. قال لها. وسار أمامها، حتى باب مكتبه. أشرع الباب ودعاها للدّخول.

- لا يشبع!!

تمتمت السكرتيرةُ بغضب مكتوم، وعندما اكتشفتْ أن سليم قد سمع ما قالته. استدارتْ بوجهها نحو الحائط، وظلَّـتْ صـامتة، إلى أن انفجـر رنين الهاتف فوق طاولة السكرتيرة، فانتفض الاثنان.

- قهوة، وشاي.

كان باستطاعة سليم أن يسمع صوت الدكتور قادمًا من السّماعة المُلتصقة بأذن السكرتيرة.

لم يكن يعنيه أن يعرف إذا ما كان الدكتور يختلي بالسكرتيرة في بيته، ولم يكن يهمُّه أن يعرف. لكنه كان يلاحظها تحاول الهروب بوجهها بعيدًا عنه، لفترة تستمرُّ أحيانًا ثلاثة أيام، بعد تلك الليالي. ولم يمض زمن طويل حتى أصبح سليم خبيرًا في ذلك، إذ كان بإمكانه أن يُقْسِمَ أن الدكتور لم يكن معها، أو أنه كان معها في الليلة السابقة.

***

- لم تزل عيوبك كثيرة. ردَّد الدكتور. كأنك لست من هذا العالم؛ بعد هذا العمر، كان عليك أن تكون انتهيت من اختيار الرُّموز التي تُمثِّلك.

- أيّ رموز؟

- شخص مثلك، يعمل معي من كم سنة؟

- سبع سنوات؟

- شخص مثلك يعمل معي منذ سبع سنوات، ويعيش زمن انقلاب العالم، يُعلِّق في بيته صور "مارسيل خليفة"!! فهمنا أن تحبّ "جورج وسّوف" بتاعك، بس "مارسيل خليفة"!

- هي صورة واحدة.

- صورة واحدة أم عشر صُوَر. المهمّ هو المعنى.

- وما الرمز الذي ترى أن علي اختياره ليمثِّلني؟

- غدا، ستجده في انتظارك في البيت، عندما تعود. ولكن بالمناسبة، حاول أن تتأخَّر ما استطعت.

***

بعيدة أصبحتْ تلك الأيام التي لم يكن فيها أهالي "رام الله" يملكون ليلَهم. هكذا، انطلقوا في الشوارع كما لو أنهم يريدون استعادة تلك الليالي التي اقتطعتْها الدّبابات من أعمارهم.

حين وصل البيت، انحنى كعادته، قبل أن يخلع ثيابه، لالتقاط مخلّفات المباهج الصغيرة للدكتور، محارم ورقيّة، زجاجتي "بوردو"، بقايا مشاوي لحوم ودجاج. كان يحسُّ بالجوع، زجَّ قطعة منها في فمه. وواصل طريقه نحو غرفة النّوم التي سقطتْ أغطيتُها على الأرض وإحدى الوسائد.

حدَّق في الشَّرشف السُّكَّريِّ، باحثًا عن دم آخرَ أصبح يتوقّعه في كلّ مرّة، لم يجد. توجَّه للمطبخ، عاد بسلّة القمامة البلاستيكية الخضراء، انحنى من جديد يلتقط ما على الأرض من أشياء، اصطدمتْ يده بشيء لزج، أحسَّ التصاقه بأصابعه. كانت المرّة الأولى التي يجد فيها واقيًا ذَكَريًّا. نفضَ يده، سَحَبَ مجموعة من الأوراق الصِّحيّة، ألقى بها فوق الواقي مُحاذرًا أن يندلق كلُّ ما فيه؛ وبقرف شديد ألقى بما في يده داخل سلَّة القمامة، وعندما اعتدلت قامته، ارتجف، إذ وجد نفسه أمام عينين صغيرتين تحدِّقان به، عينين غريبتين لم يسبق له أن رآهما في البيت من قبل، تبزغان تحت قبَّعة عريضة، وتحتهما تمامًا، كانت هناك ابتسامة فم مائل ليس من السَّهل إدراك معناها.

كان (جون واين) يطلُّ بكامل زهوه، وثقته بنفسه، تتكئ راحة يده على مقبض مسدَّسه الملتصِق بفخذه الأيمن، وهو ينظر مباشرة في عينَيْ سليم.

مرَّ زمن طويل قبل أن يخرج من لحظة ذهوله، كي يرى أخيرًا صورة "مارسيل خليفة"، ملقاة أسفل الحائط.

- الحمد لله أنه لم يُمزِّقها.

***

- أرجو أن تكون قد أدركتَ الآن معنى حديثي عن الرموز. لأن هـذا الممثّل ليس ممثلًا للأفلام فحسب، بـل هـو الممثّـل الحقيقـي لـروح أمَّـة بأكملها هي اليوم أكبر قوّة على وجه الأرض: أمريكا!

هزّ سليم رأسه.

- على أيّ حـال، حرِصْـتُ عـلى ألّا تتمـزَّق صـورة حبيبـك الجديـد "مارسيل". إذ لا معنى للأمر كلّه، إن لم تمزِّقها أنت، بنفسك!

18

زغردت أم الوليد.

فأعاد البيت القديم بجدرانه السَّميكة صدى زغرودتها.

خرجت للعلِّية، فوق بيت ياسين، تحت التينة، وزغردت مرة أخرى.

- يوم المُنى هذا اليوم.

والتفتتْ إلى ياسين، تأملته، اقتربتْ منه، أخذته بين أحضانها: أنت الوحيد الذي فتح الطريق للفرح ليدخل قلبي مرَّتين.

وبكت.

- ابكي.. ولكن لا تنسي أن تتركي قليلا من الفرح لعرسي. قال ياسين.

- عرسك، لن أبكي فيه، عرسك سأطير فيه. ردّتْ من بين دموعها.

- أما أنا فسأبكي يومها على شبابك! قال نعيم.

- أنت ما بِدْنا منّك أيْ إشي، تزوّج ويخلف عليك. ثم مالت إلى نعيم شبه هامسة: صحيح حبّيتها من أوّل نظرة.

هزّ رأسه.

- الولد خجلان!! سمِّعْني صوتك.

- آه.

- ماذا تعني هذه الآه ؟

- يعني حبيتها.

- أعرف، ولكن لم تقلْ لي، من أوّل نظرة؟

- من أول نظرة!

- لقد قلتها بعظمة لسانك أخيرًا، هل حدث لكَ شيء؟ وصمتتْ قليلًا وهي تحدِّق في وجه ابنها الذي بدا في عينيها أجمل من أيِّ يوم مضى، ثم قالت: سأوصيك وصية، وصية واحدة، إياك أن تنسى. قلْ لها هذه الكلمة من أول يوم. إياك أن تتأخَّر! اتّفقنا؟

- اتّفقنا.

***

حين رأتها أم الوليد شهقتْ.

أحبتها.

- لم أتخيّل لك بنتًا أجمل منها، بصراحة غلبتَ خيالي. قالت لنعيم. وابتسمت: لا. وحدك، ما كان يمكن أن تغلبني، البرَكة في ياسين الذي ساعدك.

- بصراحة لولاه لبقيتُ أعزب!

المفاجأة الوحيدة التي لم يكونوا جاهزين لها، كانت تلك الجملة التي قالها والد العروس.

- البنت كانت متزوِّجة، ولديها ولد. وصمت قليلًا. استشهد من ثلاث سنوات، دوريّة إسرائيلية أوقفتْهم، طلبتْ من الشباب أن يصطفّوا ووجوههم للحائط، ثم طلبوا منهم أن يستديروا باتجاه الجنود. استداروا، جنديٌّ واحد أطلق النار والآخرون يتفرَّجون عليه، قتل سبعة، وجرح ثلاثة. كان واحدًا من الشهداء.

فاجأتهم أم الوليد: أين الولد؟ قاطِعَةً أيَّ حوار يمكن أن يـدور حـول الموضوع.

- "نُعْمان" نادى جدُّه.

أطلَّ نُعمان، ابن السنوات الأربع.

- نعم سيْدي.

- تعال سلِّم على الضّيوف.

أحبته أم الوليد، ولد أسمر بعينين خضراوين، وغمازتين.

شيء بعيد تحرَّك في قلب ياسين. حضرتْ صورةُ النّمر.

- تعال يا ستّي.

نادته أم الوليد.

اقترب. مدَّ يده، صافحها.

- شو رأيك تُقعد عندي؟

نظر إلى جدِّه وجدَّته. هزّ الجدُّ رأسه موافقًا.

أفسحتْ أم الوليد مكانًا له بينها وبين أبي الوليد.

جلس صامتًا.

- نعمان ابننا. وأمّه ابنتنا. قال أبو الوليد.

- تعالي يا "نورة". نادى والدها.

- نُورة؟! اللهم صلّي على النبي.

دخلتْ نورة. شهقتْ أم الوليد، ثم التقطتْ أنفاسها.

- ستكونين ابنتي الخامسة. قالت أم الوليد موجِّهةً كلامها لها، للجميع.

***

بهدوء مرَّ العرس، حفل بسيط، ملأ حوش ياسين بالأولاد والرِّجال، في حين كان الغناء يأتي من البيت العلويّ غامرًا الحارة الصّغيرة بأكملها، الحارة التي جمعَها بيت واحد لا غير.

شيء عميق، أحسَّ ياسين بأنه يربطه بنعمان الصّغير، شيء دافئ، وقد فكَّر كثيرًا منذ أن رآه: طفل كهذا سبب مُقْنِعٌ للزّواج.

أم الوليد قالت لنعيم، وقد انفردت به: شوف يا ولد، إذا لم تُنجب لنا ولدًا حلوًّا مثل هذا الولد، فلا تحكي معي أبدًا!!

- أظنُّ أن هذا مستحيل؟

- مستحيل لماذا؟! الأمُّ نفسُ الأمّ، والعريس ما شاء الله!

- هذا الولد أبوه شهيد؛ يعني أحلى مني بكثير. نسيتي!!

هزَّت أم نعيم رأسها، دمعتْ عيناها.

- معك حق، يكفيني ولد حلاوته نصف حلاوة نُعمان.

***

أوشك ياسين أن يكون أمَّ نعمان الثانية، أو الثالثة، فقد أصبح الولد شغلهما الشَّاغل، هو وأمُّ الوليد.

تتأمل "نورة" صغيرها في الحوش يتحدَّث مع ياسين، فتبتسم، تتأمّله في حضن أم الوليد فتبتسم مطمئنة كما لو أن الولد لم يغادر ذراعيها.

بعد أشهر، كان يمكن أن تُلاحظَ تلك الاستدارةُ الصغيرة لبطن نُورة، نورة التي بدتْ أكثر إقبالًا على الحياة بقرب وجود أخ أو أخت لصغيرها.

تتحرَّك في البيت، صاعدة هابطة، بحماس طائر يطارد فراشةً في الهواء. وحيثما تمرُّ، تغمرُ بهجةُ حضورها كلَّ مَن في المكان.

- أهمّ شيء فعلته في حياتك أنك تأخَّرت في الزّواج. همست أم الوليد لابنها.

- أظنُّ أنكِ الآن تعرفين السبب!

***

- أراكَ مهموما! قال ياسين لنعمان الذي جلس ساندًا رأسه إلى الحائط ذات مساء.

- طبعا، لابد أن أكون مهموما!

- وطبعا هناك سبب كبير! قال ياسين.

هزَّ الصغير رأسه.

- هل يمكن أن تقول لي ما السبب؟

- كبير. كبير . كبير جدًا!

- اطمئن سأفهمه.

التفتَ نعمان إلى ياسين.

- أخاف أن تكون مثل كلِّ الكبار!

- أنا! أبدًا.

- يا سيْدي! حين كنتُ صغيرًا، كنت أنتظر اليوم الذي سأكون فيه أكبر، كلّ يوم في المساء، كنت أنظر إلى نفسي في المرآة، وأقول يا نعمان، الحمد لله اليوم كبرت! بعض الأيام لم أكن أكبر فيها جيدًا، فكنتُ أزعل!

- ولماذا لم تكن تكبر فيها جيدًا؟

- لا أعرف، يجوز لأنني كنت أنام أحيانًا أكثر من اللازم، فيضيع اليوم عليّ!!

- لكنّك نشيط هذه الأيام، وتكبر جيدًا.

- دون فائدة!

- لماذا؟

- لأنني كنتُ أكبر حتى أضرب الجنود بالحجارة، لكن أنظر ماذا حدَث!!

- ماذا حدث؟

- بعد ما كبرت صار الجنود بعيدين، لم أعُد أراهم، يلزمني أن أسير طويلًا حتى أصل إلى الحاجز وأضربهم بالحجارة. وفوق ذلك هذا غير مسموح لي.

- والحلّ؟

- أظن أن عليَّ أن أكبر أكثر كما تقول أمّي. ما رأيك؟!

- أنا رأيي من رأيها.

- ولكن أخاف أن يبتعدوا أكثر حين أكبر.

- إذا ابتعدوا أكثر يكون أحسن.

- لا، لا، يجب ألاّ يبتعدوا قبل أن أرميهم بالحجارة، هل نسيتَ أنهم قتلوا أبوي؟!

- لا، ما نسيت.

- على كلِّ حال، لو كان أبوي أخذ احتياطاته ما كان قتلوه!

- كيف يعني.

- سأقول لك ذلك، ولكن ليس الآن!

- على راحتك. ما رأيك أن تلعب كرة قدم؟

- مع مَن؟ الأولاد لا يلاعبونني، حتى الأولاد يظنون أنني صغير.

- يمكن أن تلعب معي؟

- معك!

- لماذا تستغرب، صحيح أنني كبير بعض الشيء، أعني كثيرًا ربّما، ولكن لديّ قدمين، يمكن أن أستخدمهما.

- إذن هيا، ولكن إذا غلبتكَ لا تزعل! اتّفقنا؟

- اتَّفقنا.

19

في ربيع هادئ لا يشير إلى أن أيًّا من أزهاره عرضة لهبوب الرّيح، توقّفتْ سيارةُ بيجو بيضاء أمام بيت ياسين، طار رفُّ عصافير الدّوري الذي كان يتقافز على حافّة الشّارع، سوى واحد، واصل نقر الأرض غير عابئ بشيء، يزيده اطمئنانًا خلوُّ المكان في صبيحة يوم جمعة.

حاسّة اقتراب الموت استيقظتْ فجأة في نوافذ البيت العالي، المُشرِف على باحة بيت ياسين التي تكاد تختفي تحت خضرة شجرتيّ اللوز الكبيرتين.

قفز نعيم من أعلى السّور نحو الباحة، لكن ركاب سيارة البيجو لحوه، مما جعلهم ينقضُّون على الباب المعدنيّ بضربة أطارته، في الوقت الذي ظهر السّلاح في أيديهم باحثًا بفوهاته الرَّمادية عما يتحرَّك في الجهات الخمس. أدركوا نعيم، قبل أن يطرُق الباب، كانت يده معلّقةً في الهواء، حينما انقضّوا عليه، ووجد وجهه ملتصقًا بالأرض وأكثر من فوهة تلتصق بجسده.

- سكوت. قال أحدهم.

وبحركة واحدة من يده انتزعه من الأرض التي خُيِّل إليه أنه التصق بها للأبد لفرط ضغط الأسلحة الباردة المنغرسة في رقبته ورأسه.

- ستساعدنا كثيرًا إن لم نعد به حيًا. تُريد أن تصرخ، أصرخ.

باتجاه الباب راحوا يدفعونه، الباب الذي أُشرع فجأة قبل أن يصِلوه.

سمع ياسين تلك الضجّة، لم يكن يتوقَّعُ شيئًا كهذا. هدوء شبه كامل كان قد بدأ يُعيد الحياةَ إلى مجراها. ومنذ مدّة، لم يسمعوا باختطاف أحد، عكس عمليات الاغتيال التي لم تتوقَّف؛ ورغم ذلك، تراجع عمل "وحدات المُستعْرِبيْن"[1] كثيرًا وأصبح بإمكان كثيرين، يعرفون أنهم مطلوبون، أن يتنازَلوا عن بعض حذرهم، لا لشيء، إلّا لكي يتأكدوا بعد هذا الزمان الطويل من الموت، أن الحياة يمكن أن تكون عاديّة وبسيطة.

أشاروا لياسين أن يصمت، في الوقت الذي دفع أحدهم نعيم وألصقه بالحائط، فلم يعد هناك ما يشير إلى أن عملية اختطاف تحدث تحت شجرتيّ لوز كبيرتين، وعلى مرأى من رفِّ عصافير الدّوري الذي تأمَّل المشهد من فوق أسلاك الكهرباء قليلًا ثم عاد ثانية لطرف الشّارع حيث لا أحد فيه، سوى السيارة وعينَي السّائق المتحفِّز خلْف المقود تُقلِّبان المكان.

***

بهدوء تحرَّكت سيارة البيجو البيضاء، وواصلت عبورها الشارع باتجاه الغرب، في وقت كان نعيم هناك ملقى على وجهه بعد أن تلقَّى ضربة على أسفل رأسه أفقدته الوعي.

أم الوليد لمحت السّيارة من نافذة غرفة القعْدَة تبتعد بهدوء مُريب، ألقتْ نظرةً على كوب شاي ابنها، لم تكن بحاجة لكثير من الفطنة كي تدرك أن الكوب لم تمسسه يد.

- نُورة، نعمان. نادت. ولم يُجب أحد.

---

[1] - فرق من الاستخبارات العسكرية الإسرائيلية تتنكّر باللباس الفلسطيني وتقوم باعتقال أو اغتيال نشطاء المقاومة داخل المناطق السَّكنية الفلسطينية.

حملتْها قامتُها النَّحيلة التي تعطيها شكل سرْوة نحو النافـذة. حـدَّقتْ في الساحة، لم تر شيئًا. عادتْ، عبرت الغرفةَ نحو الفنـاء الخلْفـي، حيـث البيت يُفضي إلى كَرْم التّين وشجيرات العنب.

- أبو الوليد. نادت، ولم يجب نداؤها.

وجد نفسه يدور حول البيت، وامرأته تركض خلْفه، يهبط الـدرجات التي تربط البيتين معًا، قبل أن يصل، رأى قـدمين يعـرفهما، قـدَمي ابنـه، اقترب، كان وجه نعيم ملتصقًا بأرضـيَّة الإسـمنت أمـام البـاب، وبـاب ياسين مُشْرَعًا على غياب يعرفونه.

***

يعرف أهل الدار، ومعهم أهل الحارة، أن غيبات ياسين بدأت تطـول بعد زمن من عودته، لكن الأمر لم يكن يدعو لقلقهـم. فـالطريق آمـن إلى رام الله، رام الله التي لا بدَّ من أن يكون فيها بين حـين وآخـر، كـما يقـول لهم.

تعرف أم الوليد أنه وصل، حين تجد باقة الورد على حافّة شباكها.

- وليش الورد، هذا يكلِّفك كثيرًا! كانت تقول له في البداية.

لكنها بدأت تعتاد وجود الورد، وتفتقده كلّما تأخَّر ياسـين في إحـضار باقة جديدة لها. تجفُّ الوردات، ولكنها لا تُلقي بها. تنتظر وتنتظر.

- بتعرف! صرت أنتظر الورد مثلما ينتظر الشَّجر المطر. قلبـي يُفـرفح حين أراه!

- أعِدُكِ أن المزهريّة لن تكون خالية منه.

- ولكن، ألا يتعبك إحضاره من رام الله.

- لا، ولكن تتعبني نظرات الرُّكّاب. يُحيِّرني يـا أم الوليـد أن الواحـد منهم، مستعد أن يحمل ربطة ملوخية أو بـصل مـن جنـين لـرفح دون أن

يستغرب أحد ذلك، أما حين يحمل باقة ورد، فإن الناس تبدأ باستراق النّظر إليه كما لو أنه دون ملابس، كما خلقه ربه.

- هل يحرجك هذا؟

- لا، لا يحرجني أبدًا، ولكن يُغيظني أن يكون الورد غريبًا إلى هذا الحدّ، فبعد أن ننطلق من رام الله ويعمُّ الصمت، أكاد أسمع توقُّعاتهم وأسئلتهم: "هذا الورد لزوجته، فيقول آخر: ومن يحمل وردًا لزوجته هذه الأيام؟! أكيد أنه ذاهب لعُرس، لا، عيد ميلاد. مستحيل أن يكون هذا الشائب عائبًا إلى حدّ أنه واقع في الحبّ ولم ينتبه بعد أنه لم يعد مراهقًا"!!

- الله يجازيك يا ياسين. الناس طيّبون ولا يفكرون هكذا!

- الناس، ليس هنا، بل في أماكن كثيرة، من السَّهل على الواحد منهم أن يشتم الثاني من أن يحمل له وردة. عمرك رأيت طائرة تُلقي وردًا على مدينة؟

- طبعا لأ.

- ولكنك رأيت طائرة تلقي قنابل على مدينة.

- كثير.

- شفتي! العالم مجنون. أنتِ! كم مرَّة قلتِ (لأبو الوليد) بأنك تحبينه قدّام الناس؟!

- عزًا. قدَّام الناس. أنا لم أجرؤ على قولها بيني وبينه!

- ولم لا تقولينها هكذا، حتى قدَّام الناس؟!

- بدك يقولوا مجنونة؟!

- شايفة! هذا الذي كنتُ أريد أن أقوله لك. نحن نستحي من الأشياء الجميلة أكثر مما نستحي من الأشياء السيّئة. على أيِّ حال،

سأظلُّ أحضر لك الورد وأعذِّب مَن يستغربُ وجودَه في يدي من رام الله إلى هنا كلّ مرّة.

- يعني هناك ناس لا يستغربون.

- أحيانًا، مرّة قالت لي امرأة بعد أن حدَّقت في الورد كثيرًا، ثم تنهَّدتْ: نيّالها! محظوظة! سألتُها: من هي؟ فقالت التي تحمل لها وردك. فقلت لها: لا، أنا المحظوظ بها.

فقالت: هي محظوظة إذن مرَّتين، بكَ وبوردك.

***

تستعيد أم الوليد اليوم السّابق، لقد جاء بالباقة التي تحبّها، باقة الزَّنبق الذي تغمر رائحته البيت، وتصل إلى ظل شجرتي اللوز. ناولها لـنُعمان، وقال له: أوْصِلْها لستَّك.

صعد نُعمان الدّرجات على عجل، وحين عاد كان ياسين وسط الساحة الترابية يجري مع الأولاد ملاحقًا كرة القدم.

- ما بدَّك تعقل؟!

- إذا عقلت راح انجن. صدِّقيني يا أم الوليد.

***

معصوب العينين، مكبَّل اليدين والقدمين، ملقىً في مكان رطب، وجد نفسه، خُيِّل إليه أن يومين مرَّا عليه وهو على هذا الحال، سمع بابا يُفتح، ثم يُغلق. عاد الصمت، مع اختلاط الليل بالنهار.

بما تبقّى له من حواس يمكن استخدامها، بدأ بتفقّد جسده، بدأ بالرأس، العنق، الكتفين، الذّراعين، الصَّدر، الظَّهر، البطن، وصولًا إلى أصابع قدميه التي حركها قليلًا كما لو أن أحدًا يراقبه.. عادت أعضاؤه لطمأنينتها. حاول أن يستغلَّ الوقت كي ينام.

يعرف ياسين بخبرته أن الحفلة الكبرى في انتظاره، وأن فصل العَمى هذا، ليس سوى فصل صغير لا أكثر.

بعد زمن طويل، زمن أعمى لا يُشير إلى ظلٍّ أو شمس، أحسَّ بباب يُفتح، وماء يُلقى عليه، انتفض، وحين أزالوا الغطاء عن عينيه، وجد نفسه قابعًا في عَماء آخر أكثر قسوة: عماء النّور.

عاد وأغلق عينيه، ظلال شبحيَّة لاحتْ لوهلة ثم اختفت. كان الضَّوء القوي يخترق جفنيه المُغلقين بشكل مُعَذِّبٍ، كما لو أن عينيه خارج جسده.

سمع باب الزنزانة يُغلَق، لكنه لم يستطع النَّظر لمعرفة ما يجري. استدار إلى الجهة المقابلة، تكوَّر على نفسه، عاد لتفقُّد أعضائه: الشيء الوحيد الذي يدلّ على وجوده في المكان.

فجأة أدرك أنه ليس وحيدًا، وأن هناك من يشاركه الزنزانة ورائحتها القاتلة، سمع تنفُّسًا، تنفُّسًا هادئًا مُنتَظمًا، لم يكن صادرًا عن رئتيه، تنفُّسًا واثقًا. التفَّ على نفسه، الآن أصبح في مواجهة الباب، ها هو يستطيع أن يحدِّد جهة واحدة على الأقل، حاول تخفيف حِدَّة إطباقة عينيه؛ عند ذلك لمح ظلًا عاليًا، ظلًّا غريبًا، كان بإمكانه أن يشمَّ رائحة تنفُّسه ويحسَّ بسخونة هوائه.

خطفًا، أشرع عينيه، أعاد إغلاقهما من جديد. كانت سهام الضّوء لا تُحتمل.

بعماه حاول ثانية. الشيء الوحيد الذي يمكن أن يكون متأكدًا منه الآن، أنّ من يشاركه الزنزانة ليس سجينًا مثله.

بدأت حرارة الزنزانة بالارتفاع، جريان خيوط العَرَق على رقبته كان بمثابة ميزان الحرارة الذي يشير إلى أيِّ درجة غدا الجوُّ فيها خانقًا، وعندما أحسَّ ببركة ماء بين خده والأرض، أدركَ أن الأمر لا يحتاج

سوى دقائق حتى تتحوَّل فيها الزنـزانة إلى فرن. وقبل أن يفتح جفنيه، أو يحاول ثانية، سمع همهمة لا تصدر عن بشر، و(نبحَـةً) متَــحفِّزة خاطفـة قطعتِ الهواءَ اليابس كسكين.

***

سنوات أربع أمضاها ياسين في السِّجن، سنوات أربع تفصل بين بوابة السجن الخارجية، ونبحة شريكـه المتحفـِّز في الغرفـة مُقعيًـا عـلى قدميـه الخلفيتين.

لو لم يكن يثق بحواسِّه، لكان الأمر رؤيا كابوسية كان من الطّبيعي أن تتفتّح بذْرَتُها السّوداء في دبق ورطوبة وحرارة المكان.

أكثر من مرّة استـعاد ذكريـات سـجنه الأول، قبـل إبعـاده، وأحـسَّ بجملة ذاك المحقق تذرع الغرفة: ستتبخّر هنا، ستحوِّلكَ هـذه النـارُ إلى قطعة فحم، فوقها غيمة!

- كما لو أنهم يعودون لاستقبالي بالطَّريقة نفسها التي ودَّعوني بها ذات يوم، لكنهم أضافوا الكلب هذه المرّة، لأنهم نسوه في المرّة الأولى.

كانوا يريدون كلَّ شيء، إلى ذلك الحدّ الذي يشعر معه المرءُ بأنهم حين سيُطلقون سراحه، لن يكون قد تبقّى منه سوى جِلْدِهِ الـذي يـشير لقامـة تشبهه، أو تشبه ما كان؛ أما داخلها، فلـيس سـوى ذلـك الهـواء الرَّطـب الدَّبق والحرارة المختلطة بأنفاس الكلب.

***

- أكثر ما كان يُغيظني صدى صوتي في الزنـزانة الانفرادية، عليـك أن تُصدّق ذلك يا سليم، ليس هنالك أسـوأ مـن الـصّدى، أهـم شيء كـان يُمكن أن يحدث لي، أن أتمكَّن من العودة ثانيـة للجلـوس بـين الـسّجناء، وحين أجلس بينهم، يكون الشيء الوحيد الذي عليَّ أن أفعله، أن أتكلَّم، أن أقول أيّ عبارة تخطر ببالي، ليس المهم ماذا تقول، أو ما هـو معناهـا، لم

أكن أريد أكثر من ألّا يكون لصوتي صدى. أقولها، وأنتظر قليلا، لا أسمح لأحد بأن يتحدَّث بعدها بأي شيء، لثوان قليلة لا أكثر، وحينما لا أسمعه، أقول لهم: الآن أستطيع القول إنني غادرت الزنزانة الانفراديّة. يكون الصدى حين تكون أسير عزلتك، يكون الصدى حين لا تكون هناك أذن تسمعك، يدور الصوت ويدور، يبحث عن بشر، وعندما لا يجدهم يعود إليك. المشكلة الحقيقية لك كإنسان، أن يكون صوتك في النهاية صدى، مجرد صدى، ينطلق ويعود، دون أن يعثر على أذن تسمعه.

***

- أسوأ ما في الأمر، أنه بعد مرور ثلاثة أعوام، كلما فتحتُ عيني، أحس بأن الكلب لم يزل ينظر إليَّ.

20

أول أسئلة ياسين التي سألها حين خرج من السِّجن، بعد أن ناول أم الوليد باقة الزَّنبق: أين نُعمان؟

- موجود. ردَّ نعيم.

- بخير فعلًا؟ أم أن هناك ما تخفونه.

- بخير. تأكَّد من ذلك.

- اشتقت إليه، تعرفون، اشتقت إليه كثيرًا؛ لم أعرف ما كان يمكن أن يكون جوابي لو سألني أحد في السِّجن: هل اشتقت إليه أكثر أم إلى حريتك؟ كأنهما شيء واحد. صدِّقوني.

- ولكن عليكَ أن ترى أخاه وأخته. ستحبّهما كثيرًا.

- مبروك.

- أعرف أنني قلتُ لكم هذه الكلمة من وراء شَبَكِ السّجن، لكن لمعناها الآن شيء آخر بالنسبة إليّ.

- ولنا. قال نعيم.

بعد قليل كان طفل صغير آخر يدرج في حوش ياسين.

- عرفتك. أنت حُسام.

هزَّ الصغير رأسه.

وبكلمات واثقة قال: وهذه أختي هيام. وهو يشير إليها في حضن أُمِّها.

بعد أشهر قليلة من اعتقاله ولِدَ حسام، وبعد عامين ونصف العام جاءت هيام.

راح ياسين يحاول ما استطاع استدعاء وجه نُعمان، في اللحظة التي كان فيها أخوه الصغير يقترب منه كما لو أنه عاش معه طوال الوقت الذي أمضاه في السّجن.

- الولد أحبَّك. قالت أم الوليد.

- لا. الولد جريء.

- بصراحة، كلّهم جريئون هذه الأيام، ولكنّهم أطفال؛ كابوس صغير يرونه في الليل يجعلك تُعيد كلَّ حساباتك حول هذه الجرأة وهذه الدّنيا. قال أبو الوليد.

بعد وقت طويل أحسّ بأنه قد كتم السّؤال خلاله أكثر مما يجب، عاد ليسأل: وبعدين. أين نعمان؟!

حدّق الحاضرون في وجوه بعضهم بعضًا، أدركوا أن ياسين لن يستطيع الانتظار أكثر من ذلك.

- سأذهب لأحضره. قال نعيم.

عبَّ ياسين كميّة من الهواء ونفثها ثانية حاملةً معها كلَّ ذلك القلق الذي حطَّ على قلبه.

انشغلوا في كلام كثير، لم يسمع ياسين سوى قليلهِ، لم تكن عينه تفارق البوابة الخارجية للحوْش بعد ظهيرة آب اللاهبة تلك.

فجأة رآه يعبر البوابة، يسير في الحوْش.

- كما لو أنه لم يكبر يومًا واحدًا. همس ياسين لنفسه.

لم يدْرِ إن كان عليه أن يفرح بهذا أم يغضب!

عند باب الصالون وقف نُعمان، ثم اندفع باتجاهه يعانقه: خالي ياسين!
هكذا اعتاد أن يناديه في الشّهور القليلة التي أمضياها معًا.

بعد قليل تراجع خطوات، وقال: الوعد وعد!

- الوعد وعد. ردَّ ياسين.

- إذن أول شيء عليك أن تفعله أن نلعبَ الكرة معًا.

أوشكتْ دمعة أم الوليد أن تفلت، لكنّها أمسكتها في اللحظة الأخيرة، لم تدْرِ فيما إذا كانت فعلتْ ذلك من أجل ياسين أم من أجل نعمان. وقالت نورة: الدنيا حرّ. لتترك المجال لنعمان كي يرى ساق ياسين فيما بعد وينسى طلبه. في حين التزم أبو الوليد ونعيم الصمت. الصمت الذي كسره فجأة الصغير حسام: سألعبُ معكم!

- سنكون فريقًا إذن. أين الكُرة؟

انطلق نعمان صاعدًا الدّرجات التي تظلّلها تينة مُثقلة بثمارها، وحين هبط ثانية كانت الكرة تحت إبطه، وياسين ينتظره في الحوش.

كما لو أنه يريد أن يلعب كرة السَّلة لا القدم، راح نعمان يركض أمام ياسين مُتلاعبًا بالكرة التي ترتطم بالأرض ثم تعيدها يده.

عَبَرَ البوابة، الشارع، مُسرعًا، نحو الساحة الترابية، تناثر رفُّ عصافير الدّوري الذي لا يبارح المكان إلا مُضطرًّا.

قبل أن يصل منتصف الملعب، نظر نعمان خلْفه، وعندما رأى ياسين يجر ساقه، أوشك أن يُغمى عليه. ساهِمًا وقف يراقبه متَّجهًا نحوه، في الوقت الذي نسيَ فيه الكرة مُعَلَّقة بين يده والأرض، فسقطت متدحرجَة فوق التراب إلى أن وجدتْ في طريقها حجرًا صغيرًا، دارت حوله دوْرتين، ثم استندت إليه وتوقّفتْ.

- الوعد وعد. قال ياسين.

على طرف السّاحة الترابية وقفت الأُسْرة كلّها هناك، تراقب ما يدور، حاول الصغير حسام أن يندفع للملعب. أمسكتْه أمّـه مـن يـده، في حـين رأى عددٌ من أولاد الجيران ياسـينَ ونعـمان في الملعـب، فجـاءوا بخطـى سريعة، لكنهم لم يتجاوزوا الساحة.

نعمان قال لهم أكثر من مرّة: لقـد وعـدني خـالي ياسـين بـأن أولّ شيء سيفعله حين يخرج من سجنه أن نخوض مباراة معًا.

- أرني مهارتك؟ قال له ياسين، أرني كيف أمضيتَ وقتكَ في غيابي!

قال لنعمان الذي لم يتحرّك من مكانه، ونحو الكرة سار: تبدأ أم أبدأ؟

- ابدأ أنتَ. قال نعمان.

على خجل تقدَّم الصغير، لكنه ما لبث أن دخل اللعبة بجرأة أكبر حين رأى ياسين يلعب غير عابئ بساقه التـي انـدفعتْ تحفـر في الرَّمـل خطًـا متقطِّعًا، يتلّوى، يستقيم، يذهب بعيدًا ويرتدُّ عائدًا، إلى ذلك الحـدّ الـذي أحس فيه الصغير بأنهما يلعبان كما كانا في السّابق، وشيئًا فشيئًا، رآه يجري بساقين سليمتين، وتلاشت الخطوط المتقطِّعة من تـراب الـساحة؛ ولـذا، حين حققَ الصغير هدفه في مرمى ياسين، ضربَ قدمه في الأرض، ارتفع، وبدا له أنه بقي مُعلّقا في الهواء أكثر مما ينبغي.

نظر الصغير خلْفه، وجد ياسين على بعد أمتار قليلة منه.

- يبدو أنك كنت تتدرَّب أكثر مني. أعترف. غلبتَني.

لملم الصغير صدى فرحته بهدفه، واندفع نحو ياسين. ياسين الذي قال له: سنرى من يغلب الثاني غدًا!

أمـسكا بيـدي بعـضهما بعـضًا، الكـرة قـرب قلـب الـصغير، ترتفـع وتنخفض بفعل تنفُّسه، والعرَق يتصبَّب من جبينيهما، لكن اندفاع الدَّمعة بين سيل العرق ذاك، لم يكن يَخفى؛ الدَّمعة التي أفلتـت مـن عـين نعـمان،

الدَّمعة التي سالت ببطء شديد، وكان جريانها لا يـشبه سـوى جريـان دمعة، وظلَّتْ تنحدر إلى أن استقرَّت هناك أسفل أنفه لاذعةً.

هبَّ هواء حار، هواء ما بعد ظهيرة آب اللاهبة تلك، وأحسَّ الصغير بعرَقه يجف، ويجف، تاركًا وجهه أسير تلك الدَّمعـة التـي راح يتمنّى أن تتلاشى قبل وصوله إلى حافّة السّاحة.

21

وجد ياسين نفسه ثانية فوق خشبة المسرح دون أن يصعدها.

- المسرحية تعرضُ في قلب رام الله. قال له نعيم.

- أي مسرحيّة؟

- مسرحيتك.

- تقصد مسرحية سليم؟

- نعم.

- ولكنه لم يقل لي.

***

كما لو أنه دخل المسرح متسللًا، بلا تذكرة، وجد ياسين نفسه يغـوص في مقعده، مُحاذِرًا أن يراه أحد. وطمأنه أن الخشبة وحـدها التـي يغمرهـا الضّوء، لا الصَّالة.

كان العرض مُتقنًا، حتى أنه كان مضطرًا لتفقُّد نفسه أكثـر مـن مـرّة، كي يتأكد من أنه لم يزل في الصالة، واحدًا من الجمهور.

- لقد عرفتُ الكثير من الأحاسيس المتضاربة، لكن حسًّا مثل هذا، يُعَلِّقُ المرء بين الخوف، وانعدام الوزن، وعدم الاطمئنان لوجود جسده، محتضنًا روحه، في المكان الذي هو فيه، لم أكن عرفته من قبل.

كان عليّ أن التفتَ أمامي، ولم أكن أعرف، إن كنتُ استخدم عينَي، أم عينيه، حتى أراني هناك، مُتنقّلًا من زاوية لزاوية، أمام مئات العيون المُشرعة في العتمة، نحو بقعة الضّوء تلك التي يتحرَّك في منتصفها الممثِّل.

ولم أكن أنا، ذلك الشخص الذي يمكن أن يكون اثنين. طَوال حياتي وأنا أعمل على أن أكون شخصًا واحدًا، إنسانًا واحدًا لا غير. قد لا أكون نجحتُ دائمًا، ولكنني أزعم أنني لم أفشل، لأرى في النهاية نفسي في مهبِّ هذا الحسِّ الطّاغي، الذي يُحيلني إلى خيمة راحت حبالها تنحلُّ، واحدًا إثر واحد، أمام ريح عاتية، خفيّة.

يذهب الممثل إلى النّهايات في تقمص الحكاية، ويذهب ياسين، صاحب الحكاية، إلى النهايات، التي تجعله يرى حياته أمامه، ماثلة في شخص آخر، لم يكن هو.

لم يحدث هذا في المرّة الأولى؛ ولأنه لم يشاهد الثانية، فإن الأمر لم يحدث في المرّة الثانية، أدرك ياسين أنه لم يحضر العرض الأول، وأنه كان غائبًا، أما الآن فالأمر مختلف.

- الحكاية حكايتي، ولم تكن هي، كيف تجرأ عليها، ليقتطع ما يريد ويضيف ما لم أفكر فيه أو أحياه كلّه. كان على أحدنا أن يختفي ذلك المساء، ولم يكن بإمكانه أن يفعل ذلك، وكلّ العيون تحدِّق به.

نهض ياسين، محاولًا التَّسلل من بين الكراسي، ومحاذِرًا أن تحجب قامته أفقَ رؤيةِ أولئك الذين يجلسون في الصّفوف الخلفية. وللحظة، وهو يتتبَّع الخيط المعتم الذي يفصل رُكَب الجمهور عن ظهور المقاعد التي أمامهم،

أحس بأن ثمة ارتباكًا حصل في العرض، لكنه واصل طريقه، دون أن يُتيح لنفسه فرصة التأكُّد من أيِّ شيء.

حين تجاوز عتبة المسرح، أدركَ أنه نجح في مدِّ حبل النّجاة لنفسه بنفسه، وفي اللحظة المناسبة، كي يصعد من الهوَّة التي ألقى نفسه فيها.

في السّاحة الصغيرة، وقف، كانت هالات أضواء "القدس" تغطي الأفق، والهدوء كاملًا.

شهر آذار في نهاياته، لم تزل هناك لسعة برد تطوف في الهواء، قَلَبَ ياقة الجاكيت، بحيث أصبح بإمكانه إخفاء صدره كلّه، عقدَ يديه حول جسده بإحكام.

وفجأة انطلقتْ ضحكتُه، رغمًا عنه وسمع نفسه يقول:

- هل تأكدت من أنك لم تزل هنا؟!

وتلفّتَ حوله، ليطمئنَّ أن أحدًا لم يسمع الضّحكة.

***

التّصفيق الذي انفجر في قاعة المسرح، عقب انتهاء العرض، أعاده لنفسه مرّة أخرى، بعد أكثر من نصف ساعة قضاها خارج جسده.

ذلك الخروج أتاح له فرصة مشاهدة وجوه الناس في الضّوء الشّاحب لِفناء المسرح، وهم يغادرون، وفي ذلك الشُّحوب، كان باستطاعته أن يرى تلألؤ بعض الدّموع الصغيرة في مآقيهم، وأيدي بعضهم التي انسلَّتْ في العتمة، نحو وجوههم، كي تمسح خيوط دمع، لم تكن كرامتُهم الإنسانية تسمح لهم أن يمسحوها هناك، تحت أضواء الصّالة!

- عذَّبتني مثل هذه المشاهد دائمًا، إصرار الإنسان على ألا يكون نفسه، أن يكون عكسه.

- هائل. قالت فتاة لصديقتها.

- أكثر من هائل. صحّحتها الثانية.

وأحسَّ ياسين بأن مجموعة من المُعجبات والمعجبين، تـصرُّ عـلى عـدم مغادرة فناء المسرح قبل مشاهدة البطل.

- للمرّة الرابعة أحضرها. ولم تزل تسحرني.

- تسحرك المسرحية أم الشخصيّة أم الممثِّل؟ وضحكت.

- كلّ شيء، لو كان عُشْرُ الرجال هكذا، لتغيَّر عالمنا تمامًا. شيء يـشبه الخيال. ألا توافقينني؟!

- ولكنني فهمتُ من بعض الناس أن المسرحية مستوحاة مـن حياتـه. فهو الذي كتبها أيضًا.

- وتسألينني ماذا أُحِب؟ المسرحيّة أم الممثِّل أم الدَّور. كلّهم بـالطبع. وضحكت الفتاة.

نظرة سريعة، ألقتْها إحداهما على ياسـين، نظـرة خاطفـة، وأشـاحتْ، فبدا له أنها آسفة على ابتعادها ثانيةً عن مراقبة بوابة المسرح.

فقدت المعجباتُ الصَّبر، بعد مرور أكثر من عـشرين دقيقـة، فغـادرن المكان بأسى. لكنه لم يفقد الصَّبر، حتى وهو يرى السّاحة خالية.

أدرك أن سليم تأَخّر أكثر مما يجب، عاد لقاعة المسرح من جديد، باغته صوت الشّاب المُنهمك في تنظيف المكان.

- هل أضعتَ شيئًا؟

- ليس تمامًا! ولكن أريد أن أسألكَ كيـف يمكـن أن أصـل للأسـتاذ سليم.

- الأستاذ سليم خرج.

- لكنني لم أره.

- لأنه خرج من الباب الخلْفي!

***

- نذهب إلى (كان زمان) ما رأيك؟ قال سليم لوردة التي داعبته عند الباب الخلْفي.

- مش عادتك تهرب من المُعجبين.

- مُعجبة واحدة تكفيني.

- أكيد، أم أنك تُمثِّل.

- تعرفين أنني لا أُمثِّل أصْلًا؟!

- هذا ما أحبه فيك. عادي في كلّ شيء، أقصد غير عادي في كلِّ شيء!

وسط نصف العتمة التي تغمر الشارع سار سليم، تلفَّتَ أكثرَ من مرَّة خلْفه، وحين وصل السيارة، قالت وردة: نمشي أفضل. الهواء مُنعش، وليلة لطيفة كهذه لا يجب أن نُضيِّعها.

وافقها مُجامِلًا.

فجأة سألته: يُخيَّل إلي أنك قلتَ شيئًا الليلة كنت نسيته في الليالي الماضية، ونسيتَ شيئًا كنت ذكرته من قبل.

- بصراحة، لم تكن الليلة ليلتي كما يُقال.

- على الأقلّ ستكون ليلتي. وضحكتْ.

- ليلة لكَ وليلة عليك! قالها بأسى، فحسبته يمازحُها، فضحكت أكثر.

لم يكن سليم نصري يشكُّ لحظة في أن ما قام به هو في غاية الغباء: التَّسلّل من خلف ظهر ياسين ليعرض حياته في مدينة ليس ثمة أمرٌ فيها يمكن أن يرتفع إلى مرتبة السِّرّ.

***

- كان أحذية "باتا" هذا الـ "كان زمان" الآن. هل تذكر؟

وعلى الرغم من أن سليم يذكر ذلك جيدًا إلا أنه قال لها: لا.

جاءت الكلمة قاطعة، جافّة، أكثر بكثير من كلمة مكوَّنة من مجرد حرفين.

- صلّي على النبي يا أخينا! مالك الليلة مش على بعضك؟! أقول لك. أحسن لي تروِّح. رَوِّح!

أمام "الوردة الحمراء" وقفتْ، ألقتْ نظرةً على طرفيِّ الشارع، واستدارت عائدة في الاتجاه الذي أتيا منه.

- أُوصِلُكِ. تابعها صوته بوهن.

- سأصِل أسرع إذا ما سرتُ وحدي!

***

- في مدينة صغيرة من الصعب أن تخبئ سرًا كبيرًا كهذا بالطبع. قال له الدكتور. وبخاصة إذا كنت تتعامل مع المسألة كسرٍّ. ثم فليأتِ ياسين، ما الذي يُضيرك؟ فحين انتقلتْ المسرحية من جوار بيته، بعيدًا عن أبناء حارته، لم تعد له. ولا تنس، أن هناك فرقًا كبيرًا بين حياته كحياة وبين المسرحية التي هيَ عمل فنّي. ثم خلاص، موضوعك هذا انتهينا منه، عليك أن تبدأ بالتفكير في المكان التالي الذي سينتقل إليه العرض بعد "رام الله". فهذه فرصتك لتحسين أحوالك.

***

كان الاتّفاق واضحًا بينهما.

قال له الدكتور: تعرف أنا لا أحبُّ المقامرة. ما ننفقه من المبلغ الذي نحصل عليه لتمويل المسرحيّة تعيده لي من عوائدها، أما الباقي فلك وحدك. عَدْل؟

- عَدْل.

22

غياب وردة عن حضور المسرحية ليلتين متلاحقتين وسَّعَ الصَّالة كثيرًا!

أدهشه هذا.

أصبح بإمكانه أن يختلس النّظرات التي يريدها للجمهور.

وبما أنه المخرج أيضًا، طلب من مهندس الإضاءة أن يضيء الصّالة قليلًا.

ذلك جعله فيما بعد يصطاد عصفورين بحجر واحد: أن يتأكّد من أن حضور ياسين المسرحية كان وهمًا، وأن يتأمّل وجوهًا كثيرة جميلة ويلقي بخيوطه لواحد منها كلّ ليلة.

حين اكتشف غيابها في الليلة الماضية لم يُضيِّع وقتًا، وخاصة بعد أن تأكّد خلال العرض أن ياسين لا وجود له، صافح المُعجبين الذين احتشدت بهم السّاحة أمام بوابة المسرح، والمعجبات، وحين وصل ليد إحداهن، أحسَّ بأن يده ترفض أن تتركها.

أحسَّت الفتاةُ بذلك. التفَتَ إلى يده، قال، لا تلوميني، لوميها! يبدو أنها لا تريد أن تتركَكِ.

وضحِك.

لم تضحك الفتاة، ابتسمت ابتسامةَ الموناليزا، ثـم مالـت إليـه بـصورة مفاجئة، مما جعل معجبات أخريات يحسدنها للمـرّة الثانيـة، وهمـستْ في أذنه بضع كلمات شحب وجهُهُ بعدها، وحطَّ عليه صمت.

وقفتْ تتأمّله لحظة، ثم استدارت بحركة بليغة خُيِّل إليه أنهـا تُعـرض بالتّصوير البطيء.

لم تفوِّتْ صبيّة أخرى الفرصة التي سنحتْ: مرتبط بشي الليلة؟!

- نعم!

- شو رأيك نعزمك على العشاء؟

- شو؟

- أستاذ، شو رأيك نعزمك على العشاء؟

- شكرًا.

- شكرًا، تعني موافق، أم غير موافق؟

- شكرًا!

وهمس وهو يتابع بعينيه الصَّبيَّة المُبتعدة: بيصير!

***

- أمامـك ثلاثـة اقتراحـات، تتعـشّى في "الـبردوني"، "بـلازا"، أو "كان زمان"؟

- أيّ واحد، مش مهم.

- لأْ، مهم، قالت إحداهن، أنتَ الذي تختار.

- الأوّل.

- "البردوني"؟

- هو الأول؟

- أظن!

- خلاص. "البردوني".

حتى وصولهما للمطعم، كانت الاثنتان مجرد امرأة واحدة، وحتى هذه الواحدة لو تأخَّرت عنه خطوات، والتفتَ ليستحثَّها على السَّير، لما عرفها. لكنَّ الأمر تغيّر عندما وصلوا.

احتار، أيجلس بجانب واحدة، أم يجلس على أحد أطراف الطاولة ويترك الاثنتين مقابله.

اختار الحل الأخير، هذا يجعله أكثر قدرة على تأمُّلهما، والنّظر في عينيهما مباشرة.

لم تكن السّاعة قد تجاوزت التاسعة، وكان الطقس يواصل هواءه المنعش الذي خلَّفه الشتاء فوق كتفيه.

***

- تعرفها؟ سألت إحداهن.

وقبل أن يجيب سحبتْها من جسدها ضحكةٌ ملأتِ المكان.

تلفَّتَ حوله، لم يكن هناك من ينظر إليه، لم يكن المطعم قد بلغ ساعة ذروته.

- تصَّور! أسألك عن اسم واحدة ولم أقل لك بعد اسمي؟

- منال.

- هناء.

- اسمان جميلان؟

- شكرًا، ردَّتا معًا.

تناست منال سؤالها، حين راحت تتحدّث عن المسرحية بحماس كبير.

- دائما ثمة امرأة صامتة وأخرى تتكلّم كثيرًا. هذا شرط وجود صداقة دائمة. همس لنفسه.

بعد قليل، بدا وكأنَّ "وردة" قد وضعتْ على لسان "منال" الكلام كلَّه، مُعيدةً ما قالته له ذات يوم حين شاهدت المسرحيّة للمرّة الأولى.

ثمة براءة فائضة وجمال هادئ في وجه "هناء".

- هذا لا يساعد على شيء. قال لنفسه وهو يتأمّلها.

ثمة فيض من الحيوية وجمال أقلّ ولكنه ممتلئ بالحياة في شخصية "منال".

- هذا يفتح بوابة للأمل. ابتسم.

استعاد وجه "وردة"، "وردة" التي لم يجرؤ بعد على الخروج بها عن الطريق المحدد بين عتبة المسرح وأيّ مطعم هنا.

لملم ابتسامته.

أبصرتْ منال ذلك الرجل الخمسيني الأنيق يتقدَّم باتجاه الطاولة، من وراء سليم، ثمة ابتسامة واسعة لا تنتشر إلّا على وجه شخص يعرفكَ كثيرًا.

حين وصل الطّاولة، وقف لحظة، حدَّق في الفتاتين، أدرك سليم أنهما تنظران إلى شيء ما خلْفه باهتمام. وقبل أن يُدير ظهره، كان الدكتور ينحني نحو أذنه: مرْحبًا!

وقبل أن يعتدل، ترك همسته مُعلَّقة في أذن سليم: كان لازم نكتب شرط ثالث في العقد!

أدرك سليم ما يقصده الدكتور، ولكنه لم يعرف، إن كان اقتسام المُعجبات هو ما يريده، أم أنه يريد هذه الحصة كاملة!

- الدكتور..

- أهلا.

- منال، وهناء، ولكنه أشار لهناء حين ذكَر اسم منـال، واسـم منـال حين ذكر اسم هناء.

ضحكت منال: بالعكس.

- بالعكس! قال الدكتور.

- بالعكس، أنا منال، وهي هناء. لكنْ فنانين، ودائمًا سارحين!

- أيّ فنان ذلك الذي يسرح بعيدًا وإلى جواره فتاتان جميلتـان إلى هـذا الحدّ!! يسرح لأنهن غير موجودات، نفهم هذا، أما حين يوجـدن، فبماذا يسرح؟!

ضحكوا جميعًا، ولم تكن الضّحكة نفسها.

- تفضّل! دعاه سليم.

- شكرا. تعرف نظريَّتي. ثم إنني دعوت مجموعـة إلى العشاء وحـان موعدهم.

قبل أن يُكمل جملته لمح رجلًا يعرفه الجميع يدخل المطعم.

- عن إذنكم. أول الضّيوف.

واتّجه لملاقاته.

- الدكتور مين؟ سألت هناء سؤالها الوحيد.

- الدكتور أسعد.

- أسعد ما غيره.

- ماذا تعنين.

- نصّاب المشاريع الأكبر. بتعرفه من زمان؟

احتار سليم. بماذا يجيب.

- يعني!

- شو يعني، من زمان، أم حديثًا؟

- وسط!

- وما الذي يجمعكما؟ حبُّ المسرح؟!!

- لنُغيِّر الحديث. قال سليم.

وتغيَّر الحديث فعلًا.

***

بعد أقلّ من ساعة كان المطعم قد تحوّل إلى خلية نحل، وانشغل الناس ببعضهم بعضًا، إلى حدّ أن الآخرين تلاشوا تمامًا من المكان.

هنا، بإمكان المرء أن يرى من يعرفهم ومن لم يعرفهم سوى على شاشات الفضائيات، سياسيين، مثقّفين، صحفيّين، شعراء، رجال مال، أعضاء في المجلس التشريعي، رافضين وقابِلين، أعضاء مجالس مركزيّة، مسؤولين في البلديّات و..

حين لاحت منه التفاتة نحو طاولة الدكتور، فوجئ بالدكتور يشير إليه، كما لو أن عينه لم تفارقه طوال الوقت، وكان باستطاعة سليم، خطفًا، أن يرى عيِّناتٍ مختلفة من الوجوه المألوفة وغير المألوفة غارقة في حديث حار حول طاولة مضيفهم.

كانت نظريّة الدكتور واضحة: في مجتمع صغير عشْ ما يمكن أن يؤخذَ عليك سرًّا، وما ينفعكَ علنًا. بهذا لا تُضيِّع شيئًا. طبعًا، أنتم الفنانون تحرصون على شيء واحد، أن تعيشوا ما يؤخذ عليكم فقط. وضحك. آمل أن تثمروا في هذه على الأقلّ!

***

لم تثمر دعوة العشاء بحضور، حتى، فتاتين جميلتين؛ أدرك سليم هذا قبل انتهائهم من تناول الطعام، ولعلّ ذلك هو السبب الذي أغلق شهيته بحيث لم يستطع التهام أكثر من نصف قطعة (الستيك) التي أمامه،

وأمضى بقية الوقت المخصصة لتناول الوجبة الرئيسة في التقاط شرائح البطاطا المقليّة ومضغها ببطء، كما لو أنه يجترُّها..

أشار سليم للنادل أن يُحضر الفاتورة، تدخَّلت منال على عجل محتجَّةً، وقبل أن يتّفقا على شيء، كان الدكتور يشير إليهم من بعيد أن الأمر منتهٍ لأنهم ضيوفه.

شكره سليم بابتسامة، لكنه فوجئ بإصرار منال على أن تدفع هي.

حاول أن يُشعرها بأن المسألة لا تتطلَّب هذه الحدَّة، لكنها أصرّت.

- صديق وقرّر أن يستضيفنا ليست مشكلة!

- لأ، مشكلة. بالنسبة لي ليس صديقًا!

أشارت للنادل أن يحضر. حين وصل طلبتْ أن يأتيها بالفاتورة.

- ولكن الدكتور أخذها.

صمتت.

- كم كان الحساب؟

صمت النادل بدوره، ثم نطق بالرقم مُحْرَجًا.

امتدتْ يدها إليه بالمبلغ: أرجوك سلِّمْه لحضرة الدكتور، وقلْ له شكرًا.

***

عند باب المطعم حاول سليم تجاوز الموقف المُحْرِج، استجمع نفسه، ونطقها بصوت خُيِّل إليه أنه لسواه. وهذا ما أراحه.

- نكمل السهرة عندي في البيت؟ ما رأيكما؟

- شكرًا.

- شكرًا، تعني الموافقة، أم عكسها؟ قالها وكأنه يستعيد بداية الأمسيّة. دون أن يستطيع الابتسام.

– شكرًا، تعني: مرّة أخرى. الوقت تأخر الآن.

ساروا معًا حتى ميدان المغتربين، ولم يفاجئه أن الوقت غـير متـأخّر فعلًا، لأن الناس يملأون الشوارع والميدان.

عرض عليهما أن يوصلهما، شـكرتاه. وفاجـأه قـول منـال: سنتمـشّى قليلًا.

لم يُذكّرها بأنها قالت قبل لحظات بأن الوقت تأخّر. إذ بدتْ لـه أنها لم تنس ما قالته أبدًا.

وفي اللحظة التي التقتْ يدُه بيد منال مصافِحةً سألته: نفسي أعرف مـا الذي قالته لك تلك البنت عند باب المسرح، حتى تغيَّر لونك؟!

صمتَ قليلًا وقد عاد إليه شحوبه. في الوقت الذي سحبتْ يدَها مـن يده وهي تهمس همسة لا يمكن أن تُسمّى أيضا سـوى هـمسة المونـاليزا: مش ضروري تجاوب!

132

23

- هل صحيح أن هناك شخصًا اسمه ياسين، وهذه حكايتـه؟ باغتتـه "وردة" بالسؤال.

- كنتُ أبحث عنكِ؟ قال لها.

- واضح! ولكنّك لم تستطع الوصول إليَّ في مدينة واسعة كهذه.

صمتت قليلًا.

- لم تُجب عن سؤالي.

- تفضَّلي.

- لا شكرًا.

- إذن سألبس ونذهب إلى أيِّ مكان.

ظلَّت واقفة على بـاب شـقَّته، دون أن تتجـاوز العتبـة. عَـبْرَ الفـسحةِ المتاحة ألقتْ نظرةً نحو الدّاخل. بيتٌ مرتَّب! أدهشها هذا.

***

قبل وصولهما للسيارة، أعادتْ طرح سؤالها. لكنه سألها: كيف عرفـتِ البيت؟ فلم تُجب.

كان ثمة مطرٌ خفيف.

قالت له: سنمشي.

تبعها.

فكَّرَ في الأمر، بحثَ عن إجابة، ما دامت وصلتْ إلى هـذا الحـد، مـا دامت تعرف الاسم، فإن الأمر أكبر من أن يُخبأ.

ـ هناك شيء من ياسين، وهناك أشياء من أناس آخرين، .. ومنّي؟

ـ الذين يعرفون ياسين يقولون هذه هي حياته.

ـ هذه ليست حياة أحد كاملة.

ـ كان يُمكن أن تقول لي فقط، فليس هناك فارق كبير! أن تكتبَ أنت عن حيـاة شخصية كـالتي قـدَّمتَها، أو أن يكـون هنـاك شـخص آخـر، حقيقي، من لحم ودم؛ ولعلَّ هذا أجمل.

ـ ربما.

ـ ربما! بل بالتأكيد.

أحسّ بأن كثيرًا من غضبها قد تراجع.

ـ ما رأيكِ بأن نشرب شيئًا؟

ـ شكرًا، ولكنني أريد منكَ أمرًا واحدًا.

ـ ما هو؟

ـ أن تُعرِّفني إلى ياسين، خطَر لي أن أُجري حوارًا معـه، خطَر لي أن أسمع رأيه في الفرق بين الحياة على المسرح والحياة في الحياة.

تلك واحدة من الأشياء التي لم تخطر ببال سـليم مـن قبـل، أن يخـرجَ ياسين من المسرحية، منه هو، ويسير في الشارع.

ـ ما الذي سيتبقّى مني؟ همس لنفسه.

ـ لم تقل لي، أهناك فرصة، لأن تُعرِّفني إليه، أم أن عليَّ البحـث عنـه بنفسي؟!

134

– لا أريد أن أُحبطكِ، إنـه لا يحـبُّ الأضـواء. ربـما كـان يمكـن أن أعرفكِ به قبل يومين، لقد جاء بنفسه وحضر المسرحيّة!!

– في الليلة التي كنّا فيها معًا، وخرجنا من الباب الخلفي؟!

ارتبك سليم: لا، في الليلة التالية لها.

– في الليلة التالية، لا أظن ذلك! فقـد أمضيتها في "البـردوني" مـع مُعجباتِك.

في مدينة صغيرة ليس ثمة أسرار.

***

هو نفسه، لم يعد يعرف مـا يـدور، فظهـور ياسـين المفـاجئ في صـالة المسرح تكرّر الليلة، إنه متأكد من ذلك.

أما ليلة المُعجبتَين، فقد كانت تجربة مقيتة بالنسبة له. وتأكّـد مـن هـذا أكثر حين قابل الدكتور صبيحة اليوم التالي.

مرَّ بجانبه، وكأنه غير موجود.

دخل مكتبه.

– ما له مش على بعضه؟ سألت السكرتيرة.

هزّ سليم رأسه.

بعد ساعة رنَّ جرس الهاتف على طاولة السكرتيرة.

– دعيه يدخل.

– مَن؟

– هل هناك أحد غيره في المكتب؟

– لا.

– إذن دعيه يدخل.

أشارت لسليم، رأى يدها الملوِّحة خلْفَ الحاجز الزّجاجي تُشير باتجاه مكتب الدكتور.

نهض، حين وصلها قالت: أخيرًا تكلَّم. تفضَّل.

لم يُتح له فرصة للجلوس، وفَهِم سليم أن ذلك غير مسموح.

- كيف تُحرجُني بهذه الطّريقة؟ بمعجبتيكَ الفلعوصتين! وما الذي يعنيه رفض دعوتي؟! أحاول أن أُكرمكَ شخصيًا فيكون الردّ بهذه القباحة؛ وما يغيظ أكثر أن حضرتكَ تصرَّفتَ كما لو كنتَ جثة أو صنمًا.

- أعتذرُ لكَ عما حصل. تعرف أن بعض المواقف لا تستطيع التصرُّف فيها لأنها تكون أكثر من معقَّدة، وخاصة أنهما صاحبتا الدَّعوة.

- أكثر من معقَّدة، لا، أنت المُعقَّد. كيف تسمح لفلعوصة أن تدعوك؟! ما الذي يمكن أن تحقِّقه معها بعد ذلك، إن كنتَ بدأتَ بداية رخوة كهذه؟!

وصمت الدكتور.

على أيِّ حال، قد تلزمني شقَّتكَ في أيّ لحظة خلال الأيام القادمة.

- حاضر!

- ثم إنني سأدعو مجموعة من الناس لحضور المسرحيّة، أناسًا مهمِّين، لا تراهم إلا في الصفَّحات الأولى والفضائيات، لحضور العرض، أوكي؟

- أوكي.

- أريدك أن تُبيِّض وجهي.

***

- شقَّتكَ مرتَّبة، لا تشبه شقق العازبين!

- شكرًا، ولكنكِ لم تدخليها بعد؟

- لمحتها عبر الباب.

كان الرّذاذ قد تراجع تاركًا لهما فرصة السَّير حتى آخر شارع "بير زيت" مرورًا بـ "المعهد الوطني للموسيقى"، "وزارة الثقافة"، ومحاذاة "المقاطعة" وصولا إلى "أسواق بلازا".

صمتُ الليل، وبرودة الهواء، وتراجع ضجَّة النهار التي تملأ الشارع، أتاحت لهما فرصة العودة من عتاب عاشقين لم يتجاوزا بعد عتبة الحبّ الأولى.

وردة، كانت فَرِحَةً بذلك، أحستْ أنها تستردُّه، وقد كان وجوده في البيت في تلك الساعة بعد يومِ عرض، كافيًا لطمأنتها بأن حكاية المُعجبات، هذه، مجرَّد مسألة عابرة.

لكن ما لم يطمئنه هو معرفته بجديَّة طلبها: مقابلة ياسين.

يعرف أنها ليست من أولئك الذين ينسون.

قرَّر أن يدعوها للبيت.

منذ مدّة قال له الدكتور بصورة مفاجئة: أما زلتَ تلعب مع البنت الصحفيّة؟ أم صار الأمر جدًّا!

- ماذا؟

- يا أخي لديك شقّة، وفتاة تريدك، فماذا تنتظر. لقد دخلنا قرنًا جديدًا وأنت لم تدخل شيئًا!

***

- ما رأيكِ أن نذهب للبيت. فرصة لتتأكّدي من أحكامِكِ المتسرِّعة حول شقق العازبين مثلي؟

هزّت رأسَها موافِقةً. كانت تحاول التّعويض عن ليالٍ لم تره فيها، أن تقول له إنها في النهاية أهمّ من كلّ معجباته. وأوقدتْ جسدها فكرة عابرة خطرت لها: ولماذا لا أكون أكثر جرأة.

- ولكن قبل ذلك، ما رأيك بسندويشة شاورما.

- أوكي.

انعطفا باتجاه شارع "رُكَبْ" حتى "مطعم أبو اسكندر". ابتاع أربعة ساندويتشات.

حين سارا قالت له: لماذا أربعة؟

- لأنني في الحقيقة تعشّيت. هل أعود لأشتري لكِ اثنين آخرين؟

- بتحكي جدّ؟

- لأ. طبعًا.

ضحِكا.

أفرحه ذلك، وأفرحها.

***

صعدا الدّرجات دون كلام، شَعَرا بأن ثمة شيئًا يحدث الآن لم يحدث من قبل.

حين وصل الباب، حاول إدخال المفتاح في الثّقب، لم يدخل، أعاد النَّظر لما في يده، تأكَّد أنه لم يخطئ وأن ارتباكه وتسارع نبضات قلبه ليسا السّبب. عادت يدُه لمقبض الباب هذه المرّة، وبمجرد أن حرَّكه انفتحَ الباب.

- يبدو أنني نسيتُ إقفاله. تفضّلي.

دخلتْ.

وقبل أن تصل إلى المقعد حيث دعاها للجلوس انطلقتْ ضحكةٌ رنانةٌ قُطِعَتْ من منتصفِها.

تراجعتْ وردة خطوة للوراء. ولم يكن سليم بحاجة للكثير من الفطنة كي يعرف أن الدكتور في الدّاخل!

استدارتْ عائدةً. وللحظة وجدت نفسها وجهًا لوجه مع "جون وين" الذي يُغطي وجهه جزءًا كبيرًا من الباب. وهناك، فوق طاولة جانبية، لمحتْها ملقاةً، الصّورة التي أهدتها له، صورة "مارسيل خليفة".

انشقَّ بابُ غرفةٍ خلْفها، نظرتْ رغمًا عنها. سمعت السؤالَ المتردِّد: سليم؟

كانت تتوقّع أن ترى امرأة، لكنّها وجدت نفسها وجها لوجه مع الدكتور شبه العاري، عرفته، فأخباره تملأ البلد. غادرت مسرعة، حتى دون أن تُلقي نظرةً واحدة على سليم الذي تحجَّر في مكانه.

- أكان لا بد من أن تُفْسِد ليلتي؟ صرخ الدكتور.

- آسف.

- خلاص، لا أريد أسفك. عُدْ بعد ساعتين.

فانطلق مهرولًا الدّرج مُحاولًا اللحاق بوردة التي لم يعثر لها على أثر.

24

- دموع الولد خضراء. هل لاحظتَ ذلك؟ قالـت أم الوليـد لياسـين وهي تراقب نُعمان في السّاحة الترابيّة يرشق الحجارة باتجاه هـدف لا يـراه أحد سواه.

- كنت خائفًا أن أقول لكِ هذا الكلام، فـتردِّين، هـذا لأنـكَ مُتعَلِّـق بالولد.

- كلنا متعلِّقون به؛ أمس، حين كنتَ في رام الله عبروا القرية من أوَّلها إلى آخرها. الله لا يورِّيك! كـانوا مـسعورين. حتـى أن الأولاد لم ينتبهـوا لمرورهم إلّا بعد أن ابتعدوا.

- لذلك عادوا يتدرَّبون على استخدام الحجارة؟

- أظنّ ذلك.

- كأن الأولاد يشعرون بما هو قادم أكثر منّا، مثل الغِزلان التـي تحـسُّ بالزلزال قبل وقوعه! عليكم أن تراقبوه، فالولد يتفلّتُ من نفسه.

- كلُّنا نراقبه، أبو الوليد، نعيم حين يكون هنا، أنا وأمّه.

- اليوم قرأتُ حوارًا مع قناص إسرائيلي يعترف فيه بأن قيادته تطلب منه عدم إطلاق النار على أيِّ طفل عمره أقلّ من اثني عشر عامًا. يجب أن يكون عمره أكبر من ذلك حسب التعليمات.

- ولكن كيف يعرفون أن الطفل أكبر من ذلك أو أصغر، وهم هناك خلْف الحواجز أو فوق الأبراج؟!

- هذا السؤال وجهته "عميرة هس" للقنّاص. فردَّ: نحن لا نستطيع أن نطلب من كلِّ طفل إبراز شهادة ميلاده قبل قتْلِهِ.

- لكنّه لا يبدو أكبر من طفل في السابعة. قالت أم الوليد.

- تُطمئنين نفسك، أم تضحكين عليها؟

- أطمئنها بالضَّحك عليها!

***

- عليك أن تنتبه لنفسك كثيرًا. قال ياسين لنعمان.

- اطمئن.

- لا أستطيع أن أطمئن تمامًا قبل أن تعدني.

- أعِدك، لأنني أخذت احتياطاتي.

- أيّ احتياطات؟!

- الاحتياطات التي نسيها أبوي.

***

طَلَبُ نعمان من ياسين أن يصنع له طائرة ورقيّة كان مناسبة ليُثبتَ له أنه يستطيع ذلك، وبصورة أفضل من كلِّ أصدقائه الأطفال. هل كان يحاول أن يشدَّه نحوه أكثر، كي يحميه؟

كانت فرصة لياسين أن يختبر نفسه، ما يذكُره وما تلاشى مع الأيام. بالنسبة إليه كان غير واثق بالطّريقة التي يقوم فيها الإنسان بعمل شيء ما سبق أن كان يتقنه قبل خمسين عامًا!

هل هو العقل الذي يتذكّر، أم الجسد نفسه.

حين وضع نعمان مستلزمات الطائرة الورقيّة أمام ياسين، تنهَّد ياسين، قال: علينا أن نبدأ، ولكن لا تكن عجولًا، أعوام طويلة مرَّتْ على آخر طائرة ورقية طيَّرتُها هنا.

– مش مستعجل! فقط أريدها أفضل من أيّ طائرة أخرى يصنعها الأولاد.

اجتهد ياسين، مستعينًا بما توصَّل إليه علم الطائرات الورقيّة اليوم، التي باتت تصنعها المصانع من البلاستيك، ويطير بعضها في الفضاء دون ذيل.

كومة من أكياس بلاستيكية بألوان مختلفة استقرَّت أمامه، بدل الأوراق الملوَّنة التي كانت تُستخدم قديمًا، وكان الصمغُ البديلَ الذي لا يمكن أن يحتلَّ العجينُ الطريُّ مكانَه.

أدرك أن نجاحه في الاختبار أمرٌ لا يُمكن القبول بنصفه، إما نجاح وإما فشل. ولم يكن يريد أن تهتزَّ صورته بأيِّ شكل من الأشكال في عيني نعمان. لذلك، استبعد أيَّ مغامرة، كأن يقوم بمحاولة صناعة طائرة بلا ذيل.

– تستطيع أن تتحدّى أولاد الحارة، لكنك لا تستطيع تحدِّي الخبرةَ الصِّينية أو الكوريّة في هذا المجال. رحم الله امرَأً عرف قدر نفسه.

مثل عازف يحفظ الأغنية لكنه لم يلمس آلته الموسيقية منذ زمن طويل، وجد أصابعه تمضي مرتبكة للمَهمّة الملقاة عليها فجأة. راح يقلِّب أكياس البلاستيك، يقصّها من أحد جوانبها ومن أسفلها كي تتحوَّل إلى قطع

كبيرة. بعد أن انتهى، مضى نحو عيدان القصب، وهنا، كان لا بدّ للخبرة من أن تتجلّى.

خانته السّكين حينما انعطفتْ جانبًا وهي تشقُّ العود، لكنه لم يرتبك.

- انتبه. قال نعمان بكامل حواسّه وهو يراقب اليد المُمْسِكة بالسِّكين.

- لدينا ما يكفي من عيدان، لا تخف، ولكن يبدو أن السِّكين ليست حادّة كما يجب.

- هل يجب أن تكون حادة، أم نُص نُص؟

- الصّحيح، هذه لا أتذكَّرها.

لم يستطع نعمان أن يلاحظ أيَّ ارتباك آخر، فكل شيء سار على ما يرام بعد ذلك، واجتهد ياسين، بأن أبقى، جانبًا، كيسًا أحمر مُزيّنًا بحصان أسود جميل، هو في الحقيقة علامة إحدى شركات الأزياء العالمية، وبمهارة فاجأته قام بقصِّ صورة الحصان من أطرافها، وبقليل من الصّمغ ثبَّته في منتصف الطائرة الورقيَّة، وسط النجمة البيضاء المُحاطة بمثلثات خضراء وحمراء.

25

تمامًا كما وصف الدكتور ضيوفه كانوا. أربك هذا سليم أكثر، سـليم الذي اختلس نظرة قبل العرض من وراء السِّتارة ورآهـم يحتلّـون ثمانيـة مقاعد في قلب الصف الأول.

عاد لغرفة الملابس، أغلق الباب، فكر بأمنية واحدة لا غير: أن ينجح العرض. تمنّاها.

في الطريق إلى الخشبة وعبر الممرِّ المظلم، عـاد لـه ارتباكـه: أمنيـة بهـذا الحجم لن تتحقّق إذا ما ظهر ياسين في القاعة الليلة.

تمنى أن يختفي: خشبة المسرح لا يمكن أن تتّسع لاثنين، ولا الصّالة.

تمنى أن ينتهي العرض قبل أن يبدأ.

لكن ذلك لم يحدث؛ فطائرات الأباتشي لم تظهر اليـوم في سـماء رام الله على غير عادتها، ربما لأنها قامت أمس بما عليها، حين حوَّلَتْ ثلاثة شبـان تلاحقهم قوات الاحتلال إلى فحْم.

خلف السّتارة الحمراء وقف لحظات، عبَّ كمية من الهـواء لم يتخيَّـل يومًا أن رئتيه تتّسعان لها، ولكنه حين حاول إخراجها أحسّ بأن الهـواء لا يريد أن يخرج.

144

مثل بالون وقف هناك، بعينين جاحظتين تحدِّقان في رماد عتمة الكواليس.

بعد زمن طويل خرج الهواء.

كما لو أنه كان في الماء، هكذا أحسَّ. عاد لاستنشاق هواء آخر غير ذاك الذي استنشقه في المرَّة الأولى.

أخيرًا، لملم نفسه من لحظة تبعثرها وأعطى إشارة لفتح الستار، اندفعتْ موسيقى حادَّة غامضة مُشرَعةٌ على كلِّ التأويلات، ومن بين وقْعِها القادم من مكبِّرات الصوت عَبَر باتجاه الخشبة.

(الحكاية لا تنتهي عندما تنتهي، الحكاية تبدأ، وحين تبدأ، يكون عليها أن تواصل هذه البداية إلى بداية أخرى.

أنظر ورائي، فلا أرى نهاية لشيء، وأنظر أمامي فلا أرى سوى سلسلة بدايات، النهاية دائما بدايات كثيرة. فمن أين أبدأ؟

النهاية ستكون مُغلقَة إذا ما قَبِلَتْ، حتى، بانتصارها؛ البداية أرحم، البداية تعني أنك قادر على أن تعيش حياتك من جديد، أن تملك جرأة المحاولة مرّة أخرى وأخرى، البداية إنسانية كالسّؤال، أما النهاية فقاتلة كالإجابة. من أين أبدأ؟)

***

قال له ياسين، تلك الكلمات حينما التقاه: في أوّل موعد عمل. كما وصفه سليم.

- موعد عمل؟ علّق ياسين.

- ليس تمامًا، ولكنني أحضرت الأوراق وآلة التسجيل.

- أوراق، لا بأس، أما آلة تسجيل، فلا.

واصل الكتابة حتى النهاية.

- كم صفحة يمكن أن أملأها لو أنني تحدَّثت عن حياتي؟! سأل سليم نفسه.

أفزعه السؤال، مضى به بعيدًا، طاف سنوات عمره كماسحة ضوئية، وعندما عاد للأوراق التي أمامه، أحسَّ بأن الحياة قسمان: واحدة تُمضيها، وواحدة تعيشها.

قال له ياسين كلامًا مشابهًا: ما الفرق بين حياة إنسان وإنسان؟ ذات يوم قرأت لكاتب عربي كلامًا استوقفني كثيرًا، قال (قد أستطيع كتابة ألف صفحة عن طفل لم يبلغ بعد العاشرة من عمره، ولا أستطيع كتابة سبعين صفحة عن رجل بلغ السبعين. تسألني لماذا؟ سأجيبك: لأن منسوب الحياة في الأوّل أكثر ارتفاعًا بكثير من منسوب الحياة في الثاني، فالأوّل عاش الحياة والثاني عَبَرَها!)

***

بعد أقلّ من خمس دقائق أصبح بإمكانه أن يعود إلى الخشبة من رحيله البعيد، وأن يرى الوجوه، اختلس نظرات متتالية إلى المقاعد الأولى، أراحه هذا الإصغاء العميق، أراحه كيف تحوَّل إلى نقطة تلتقي عندها العيون، أراحه أنه سيد المشهد، لا شيء سواه، كل ما خارجه غير مرئي، العالم كلّه، الشوارع، الذِّكريات، المشاغل، المواعيد، الدِّماء على الأرصفة، الطائرات في الأعالي، الأولاد، الزّوجات، العشيقات، مذيعات الأخبار، الخبر العاجل، الخسائر، الأرباح، الصَّفقات، القادة، الاحتلال، المكان، الزَّمان، لا شيء سواه هنا، إنه بؤرة الكون.

مثل هذه الأفكار كانت تكفي لأن تُنسي المرء كلَّ شيء، كلامه وصمته، حركته وسكونه، لكن ذلك لم يحدث، فالمسرحية كلّها في داخله، ولا شيء يستطيع محوها، إنه لا يحفظها فقط، إنه يعيشها، عاشها، إنها هو،

ذكرياته وأحلامه، وبدايته، نعم بدايته التي لا تعرف نهاية، بدايته المفتوحة على بداية مفتوحة أخرى حتى قلْبِ قلْبِ الحياة.

مال الدكتور مرّتين باتجاه الشّخصين اللذين يجلسان إلى جانبه، فبدا لسليم أنه نسي مأساة الليلة الماضية، مال كما لو أنه يقول لهما: أرأيتم!!

وفجأة، أطل وجهه خطفًا في الكرسيّ الأوّل من الصف العاشر، مقابل البوابة تمامًا: ياسين.

إنه هو.

مثل طائر بلا أجنحة يسقط ويسقط، لكن معرفته بعدم وجود أجنحة له لا يمنعه من أن يحلم لحظة أن لديه ما يرفعه بعيدًا عن تهشُّم عظامه..

هوى، سمع ارتطام نفسه بالخشبة، وحين حدَّق خارج سقوطه، وجد أنه لم يزل واقفًا.

واصل المسرحية، دون أن تفارق عيناه ذلك الظلّ الذي يراقبه من بعيد.

أدرك الدكتور أن شيئًا ما يحدث، وأن سليم قد خرج عن النَّص، أنه عاد للنَّص، أحرجه هذا، التفتَ يمينًا، شمالًا، محاولًا ما استطاع معرفة ردود الفعل المُرتسِمة على وجوه مدعوِّيه، وجدهم مستغرقين تمامًا، كما كانوا.

أراحه هذا.

لكن ما أثار قلقه أن يصل سليم إلى تلك المشاهد التي تتحدَّث عن الأمانة الأسطورية لياسين، انتظر وانتظر، فبدت المسرحية أطول عشر مرّات، ولم يصل سليم..

لم يعد سليم يسمع صوت نفسه، كلّ ما كان يفعله أن يراقب الدكتور وهو يسترق النظر إلى ساعته بين حين وآخر. وقد بدا له أنه يؤدي دورًا لا ينتهي، في مسرحية لا نهاية لها أيضًا.

رأى جسده يسقط إعياءً، يحاول النهوض، يسقط ثانية، ويحاول ثالثة، مثل أيِّ ملاكم أطاح به خصمه في حلبة للملاكمة بضربات متلاحقة، توقَّفتِ الكلماتُ، لكنها تواصل فِعْلَها في جسده حدَّ التّلاشي.

عندما عاد من غيبوبته التي لا وجود لها فوق الخشبة أمام أعين الناس كان الجميع يصفِّقون، باستثناء الدكتور الذي عقد يديه حول جسده، كما لو أنه يحرس هذا الجسد من تبدُّد وشيك سيطيح به.

أما المقعد الأول في الصف العاشر المقابل للبوابة، فقد كان فارغًا.

***

بعد منتصف الليل بقليل، كان سليم نصري غارقًا في مقعد بصالة بيته بكامل ملابسه، وكلّما أوشك على التلاشي أمسك بذراعيّ المقعد بشدة أكبر وتكوَّر حول نفسه.

الأضواء مطفأة، ولا شيء من النوّر سوى ذلك المتسرِّب من عمود الكهرباء في الشارع عبر الستائر المغلَقة.

الدَّقات العنيفة على الباب، كانت كافية لأن تعيده إلى ما هو فيه، انتصب مكانه، لكنه لم يجرؤ على فِعْل شيء.

عادت القبضة تهوي بعنف على الباب، وسمع صوتًا في الخارج، صوتًا يعرفه، خطا باتجاه الباب. أشرعه، بعد أن أشعل الضَّوء. اندفع الدكتور إلى الدَّاخل هائجًا.

- فضحتني. فضحتني وأحرجتني. لم أتخيّل نفسي أنني سأكون عُرْضَةً في أيّ يوم من أيام حياتي لمثل هذا الموقف. لحظة لحظة انتظرت انتهاء العشاء الذي لا أتذكّرُ الآن ما تناولتُ فيه، ولا شيء أمامي سوى الإحراج الذي أوقعتَني فيه حضرتك، بل أغرقتني فيه. أعرف أن أحدًا منهم لم يفتح فمه ليشير إلى أيِّ شيء سمعه أو رآه في المسرحية، مجاملةً، لكنني أعرف ذلك، أحسّه، لقد أمضيتُ عمري وأنا أتعلّم كيف أستشعر

تلك المشاعر التي تدور خلْف جلد البشر وملامحهم، في عتمتهم التي يحرصون على أن تكون أكثر حلكة كلما التقوا بك، كلما حدَّثوك، كلما قالوا لكَ شيئًا وهم يقصدون عكسه.

وصمت طويلًا، دون أن يتوقَّف عن الدَّوران.

- لقد اتّفقنا على كلِّ شيء، ولكنك هدمتَ كلَّ شيء. هذه المسرحية يجب أن تنتهي!

كانت الكلمات الخمس الأخيرة كافية لإسقاط سليم بالضَّربة القاضية، فوجد نفسه ثانية بين ذراعيّ المقعد؛ في الوقت الذي استدار فيه الدكتور متوجِّهًا نحو الباب. لكنه ما لبث أن توقّف لحظة أمام المُلْصَقَين اللذين يراهما لأوّل مرة معًا: جون واين ومارسيل خليفة؛ ثم قالها بصوت غاضب يائس: لا أظنُّ أنك فهمتَ شيئًا حتى الآن، ما دمت تعتقد أن بإمكانك أن تجمعهما معًا في غرفة واحدة.

وصفقَ الباب وراءه، فراح يراقب اهتزاز الملصَقين المحدِّقين في وجهه دون أن يعرف مغزى نظراتهما.

26

لم يقل لها شيئًا، ولكنّها عرفت الكثير.

لم يكن على أم الوليد وأهل الدّار أن يفكِّروا طويلًا، كـي يتوصَّـلوا إلى سبب غياب ياسين المتواصل عن بيته.

لكنه كان يطمئنهم بعودة مفاجئة بين حين وآخر. وحين يسألونه عـن السّبب يقول: الأشغال في رام الله كثيرة!

أصبح على أمّ الوليد أن تلقي نظرة على شباكها قبـل أن تـرى أيَّ شيء آخر، كلما وجدت نفسها عائدة، من مشوار يطول أو يقصر، إلى البيت.

لكن الزَّنبق لم يعد يدلُّ على وجوده تمامًا؛ تصل، فيخبرونها أنـه غـادر، وفي أحيان كثيرة تفاجأ بباقة جديدة عـلى حافّـة النافـذة، رغـم وجودهـا داخل البيت.

- هل جاء؟

- جاء وذهب.

- ولماذا لم يسمح لي أن أراه؟!

- جاء مبكرًا، وكنت نائمة.

لكنها بين حين وآخر، تسمع صوته يناديها من الحوش، من تحت شجرتي اللوز.

- يا أمّ الوليد، الشّاي جاهز.

وتغضب أم الوليد: الذي يراك تصنع الشّاي بنفسك يقول إن أم الوليد نسيت ابنها.

- شوفي، ليس هناك ضرورة لأن تُحسِّي بأنك أكبر مني كثيرًا، أنظري ما شاء الله، لا أظن أن أحدًا يحسده الناس مثل أبي الوليد.

- فِكْرَك؟!

- طبعًا.

- أكيد، بتضحك عليّ حتى أنسى مسألة الشّاي.

- وحياة نُعمان، لو كنتُ مثلك لكنت أسعد إنسان.

- كل هذا لكلام لتقول لي أنكَ عجَّزتَ، وأنسى أمر تزويجك!

- بالعكس، ما زلت أحلم بالزّواج، صدِّقيني. لكن على القلب أن يطلب مني ذلك بنفسه. إلّا أنه يرفض أن يتواضع ويطلب طلبًا كهذا، رغم عِشْرَةِ العمر الطويلة. تصوَّري!!

***

اعتادوا خلوَّ الساحة..

حتى أن عصافير الدُّوري أصبحت تتجرأ على النُّزول إليها أكثر من قبل ، لكن البلابل ظلَّت مكتفية بشجرة التِّين.

حيث تُوجد أشجار التين تُوجد البلابل.

متأملة باقة الزَّنبق كانت، حين سمعت ذلك الضجيج الذي تعرفه، ضجيج الآليات العسكرية وقرقعة أقدام الجنود وأسلحتهم وهم يحتلّون الزوايا البعيدة. حتى تلك اللحظة لم يخطر ببالها أن بيتها هو المطلوب، إلى

أن رأت بوابة الحوش التحتا تطير، ويندفع جنود منها، وقبل أن تستدير كان باب بيتها، خلْفها، يطير.

أمسكوا بها، جرّوها نحو بيت ياسين، وحين وصلتْ منتصف الدرجات تحت التينة، رأت أبو الوليد بين أيديهم.

لم يجدوا ياسين، دمرَّوا كلَّ شيء ورحلوا.

حمدت الله أنه ليس في البيت، لقد رأته يغادر مع نعمان، حاملًا الطائرة الورقيّة، في حين كان الصغير يرفع ذيلها، كما يفعلان عادة عندما يذهبان لإطلاقها، وحين وصل البوابة، مال باتجاه الأطفال في السَّاحة، تبادل وإياهم ركْلَ الكرة قليلًا. وعندما انسحبَ، رأتْهم يصرُّون عليه أن يشاركهم اللعب.

التفتَ إلى نعمان وقال: ورانا شُغُل!

بعد رحيل الجنود، نظرت أم الوليد إلى الحقل البعيد، رأت الطائرة الورقيَّة مُحلِّقة في سماء الغروب. انسلَّت من بين الناس الذين تجمَّعوا في السّاحة وأمام الباب.

ابتعدت خطوات قليلة عن الجمْع، نظرت إلى طرفي الشارع مرَّة تلو أخرى، إلى أن اطمأنت أن الجنود اختفوا تمامًا.

عندها راحت تهرول نحو نهاية الكَرْم.

كانت تلهث، رأت نعمان وحده، لكنها واصلت الرَّكض باتجاهه، وقبل أن تصله انطلقت بلهفة تسأله عن "خاله" ياسين.

- راح، وقال لي سلِّمْ على ستّك.

التقطتْ أنفاسها بصعوبة، استعادت جملة ياسين لها: (ليس هناك ضرورة لأن تحسّي بأنك أكبر مني كثيرًا، أنظري ما شاء الله، لا أظنُّ أن أحدًا يحسده الناس مثل أبي الوليد!) وابتسمت.

- الآن عرفتُ أن الولد كان بضحك عليَّ.

***

بعد سبعة أيام، وجدتْها مزروعة هناك في فناء البيت، مجموعة هائلة من شتلات أزهار الزنبق.

حين رأتها أم الوليد اندفعتْ دموعها تجري، لقد باتت متأكِّدة من أنّها لن تراه، منذ الآن، كما كانت تراه من قبل.

27

الشيء الباعث للطمأنينة، بالنسبة لسليم، أنّ المسرحيّة لن تتوقّف قبل انتهاء فترة العقد مع إدارة المسرح، كان أمامه سبع ليال أخرى.

- سبع ليال، تكفي. فقد خلق الله العالم كلّه في سبعة أيام. همس لنفسه.

لكنه رغم كلِّ شيء، راح يفكِّر في بداية أخرى، حالما بتجاوز هذه النهاية التي لا بداية لها، بلغة المسرحية، النهاية الأشبه بنقطة صفر عملاقة تسدُّ باب حياته.

يعرف سليم أن المسرحية لم تأخذ مداها، وأن مستقبلها أمامها، وبخاصّة إذا ما أتيح لها أن تنتقل إلى "نابلس" و "جِنِيْن" و "بيت لحم" و "غزّة"، وربما إلى القدس أيضًا. هكذا، وللمرّة الأولى في حياته أحسّ بأن لديه معركة وأن عليه أن يخوضها وأن ينتصر فيها. هل عليه القول بأيِّ ثمن؟

- بأيِّ ثمن!

***

أوّل شيء فعله، هو السّعي لتبريد غضبة الدكتور، ولم يكن هناك أفضل من أن يتغيَّب عن المكتب.

تغيَّب.

لكن المعضلة التي لم يجد لها حلًا، هي حكاية ياسين الذي لم يعد يتغيّب أبدًا.

ليلة أمس، لو لم يحصل ما حصل، لكانت واحدة من أجمل ليالي حياته.

يذكُر كيف تحلَّقتْ حوله معجبات كثيرات ومعجبون، ومع أن ظاهرة الحصول على توقيع الممثِّل لم تزل غريبة هنا بعض الشيء، إلا أنه وجد نفسه مضطرًّا للبحث في جيبه عن قلم، وحين لم يجده، أسرعتْ أكثر من يد تبحث عن قلم في الجيوب والحقائب.

أقلام كثيرة أطلَّت دفعة واحدة، ارتبك، لكن ذلك الوجه أعاده لنفسه ثانية: وجه وردة. امتدَّت يده باتجاه يدها وتناول القلم.

شكرته كما لو أنه يقدِّم لها خدمة.

- سأقبل أن أكون الأخيرة!

راح يوقع، مُدوِّنًا الكلمات نفسها، محاولًا إخفاء حجم بهجته بحضورها المفاجئ، وحين اختفى كبار المعجبين والمعجبات، وبقيت السّاحة كعادتها ممتلئة بالناس الذين يشعرون كلَّ ليلة بأن ثمة ما يشدّهم للمسرح ويدفعهم للبقاء أطول مدّة ممكنة في فنائه، مدَّتْ له دفترًا صغيرًا، رآها تستخدمه أكثر من مرّة أمامه، في حوار معه، أو لتدوين ملاحظات، وقالت: أريدك أن توقّع لي، ولكن ليس باسمك أنت "سليم نصري"، بل باسم الشّخصية التي تؤديها "ياسين الأسمر".

تجمَّدت يده. حائرًا حدَّق فيها غير قادر على تحديد ما عليه أن يفعله.

- لا تستطيع إذن! سألته وهي تهزُّ رأسها. رغم أنه كلُّ ما فيك الآن، ما أنتَ عليه، وما يمكن أن تكونه غدًا. أضافت. سأعمل على أن يُوقِّعَ لي بنفسه. على أيّ حال، بات الوصول إليه الآن أسهل من أيّ يوم مضى بعد أن أصبحت أعرف اسمه كاملًا ومكان بيته. ثم صمتتْ قليلًا، قبل أن

تضيف موبِّخة نفسها: كيف لم يخطر ذلك ببالي منذ البداية؟ كم كنت غبية!

استلَّتْ قلمها من يده، ورآها تعبر من بين الجمهور وتختفي رويدًا رويدًا كما لو أن مشهد اختفائها يُعرض بالتّصوير البطيء.

لماذا يرى الأشياء هكذا أحيانا؟

عذَّبه الأمر أكثر.

كانت وردة أجمل شيء حدَث له في حياته. وها هو يخسره.

***

من زاوية مواربة كان باستطاعته أن يرى عمارة "بَحْوْر"، خطر له أن يُغلق التلفزيون ويمضي لرؤية التّقرير الذي تبثه "قناة الجزيرة" من مكتبها في تلك العمارة.

ثمة ما هو أكثر من الدّخان يرتفع في الأجواء. لم يكن بحاجة لتقرير "وليد العُمري" - كبير مراسلي القناة، ليعرف أن الأيام التي ظنَّ أنها مضت إلى غير رجعة، تعود ثانية.

هناك عزْلٌ لمناطق، حواجز تعود، وجنود يملأون نشرات الأخبار مثل تلك الأيام البعيدة، أيام الانتفاضة الأولى. لكنَّ الشيء الذي كان يعرفه، ولم يكن يستطيع تحديد إحساسه بشأنه، هو إدراكه أن المسافة ما بين رام الله وقرية ياسين قد باتت مقطوعة الآن.

إحساس الناس بالنّار المُقبِلة، دفعهم للسَّعي مبكرًا نحو المحلات التّجارية للحصول على احتياجاتهم من الطعام والخبز.

لم يعرف ما الذي يحتاجه، وما الذي لا يحتاجه.

لم يشتر شيئًا.

***

حاول أن يؤخِّر العرض ما استطاع، كان عدد الحضور أقلّ من المعتاد، راح يسترق النّظر من خلف الستارة، مرّة تلو أخرى باحثًا عن أثر ما لياسين.

لم يكن هناك مجال لأن يؤخِّرَ العرض أكثر من ذلك، سمع صفيرًا في القاعة، وموجة تصفيق احتجاجًا.

أمر يحدث للمرّة الأولى.

أُطفئت الأضواء،

أُضيئت الخشبة بضوء خافت، يُعطي ذلك الانطباع بأن الكلام قادم من مكان بعيد.

أمام عينَي سليم بدأت الصالة بالتّفتُّح داخل عتمتها، كما لو أنّ الليل يتراجع ليتقدَّم الغبش الأوّل لحلكة الصباح.

لم يَطُل الوقت،

فجأة رآه، في ذلك الكرسيّ نفسه، انكسر الإيقاع المسرحي لحظات، وفي الوقت الذي راح يحاول الإمساك بالعرْض من جديد، حدث الشيء الذي لا يمكن أن يتوقّعه، لقد رأى شخصًا آخر في أقصى المسرح لا يمكن ألّا أن يكون ياسين أيضًا!

تبعثر إيقاع المسرحية أكثر، لكنه استطاع في نهايتها، أن يطمئن نفسه.

- ليس هناك سوى ياسين واحد في القاعة، في العالم!

***

قبل سبع دقائق من نهايتها الطبيعيّة انتهت المسرحية، تَسارُعُ إيقاعِها، حوَّل الأداء إلى أشبه ما يكون بقراءة قصيدة، أو نص مدرسيٍّ عن ظَهْر قلْب.

حين وصل الباب الخلْفي للمسرح، وجده هناك في انتظاره، وقبل أن يلمحه ياسين عاد ثانية للدّاخل، انتظر قليلًا، أطلَّ ثانية، وجده هناك.

مُسرعًا توجَّه للبوابة الرئيسة، لكن المفاجأة التي طوَّحت به، أن ياسين كان هناك أيضًا.

عاد للخشبة، تجمّد في منتصفها، كممثل نسيَ السَّبب الذي أتى به للمسرح!

كم مرَّ من زمن؟ لا يدري، حتى أنه لم يتنبه للفتى عامل النّظافة الذي راح يعمل بين الكراسي بدأب النَّمل.

- لم نتَّفق على هذا؟

انتفض.

جاءه الصوت، صوت ياسين، من خلفه فيما كان يُفكِّر باستراق النَّظر ثانية عبر الباب الخلْفي.

التفتَ مذعورًا، في الوقت الذي راح فيه الفتى يراقبه، مستندًا بنصف جسده إلى حافة أحد المقاعد يُحدِّق غير قادر على معرفة ما يدور.

- لقد خطرت لي فكرة، وسأبدأ العمل عليها منذ الغد، استوحيتها من عمليات الاستئصال التي تقوم بها كلّ ليلة، كما لو أن حياتي لك. لقد نسيتَ فيما يبدو أنني سمحتُ لك بالتصرُّف بالقصّة لتكون مسرحية، وليلة، ليلتين لا أكثر، لكنني لم أسمح لك بأيّ حال أن تتصرَّف بها إلى الحدِّ الذي تبدو حياتي فيه كما لو أنها أصبحت مُلكًا لك. لم تسألني ما الذي خطر لي؟ حسنا، سأقول لك، سأبحث عن ممثِّل، أو كاتب ليقدِّمَ الوجه الآخر من حياتي، يضايقني فعلًا أنني أبدو شبه نبي، وأنا لستُ كذلك. يضايقني أن أبدو بطلًا، لأن معيار البطولة هنا لا معنى له، أنا بطل لأن لي حكاية، مكتوبة أو ممسرحة، أو منشورة في صحيفة أو كتاب، كل واحد من هؤلاء يمكن أن يكون بطلًا، هؤلاء الذين يملأون الشوارع، أطفالا ونساء وشيوخًا، كل واحد سيغدو بطلا إذا ما أصبحتْ له حكاية، دائما كنت مثلهم، إلى أن صار لي حكاية تُروى.

وصمتَ..

كل هؤلاء الذين تراهم في الشوارع أبطال مُضْمَرون، وحتى ذلك الذي ليس له حكاية، مثلك، يمكن أن يستعير حكاية أخرى، حكايات غيره، ليكون بطلًا، حتى أنا أيضًا، لستُ بكاملي، لأنني سواي أيضًا؛ تحدَّثتَ عن "النَّمر"، عن فَناء أهله، عن خروجنا بمعجزة متسللين من بين فكيّ المجزرة في "تل الزعتر"، تحدثتَ عن "نعمان"، عن "أم الوليد"، عن "أبي الوليد"، عن "نعيم"، عن زوجته، عن "تل الزعتر"، تحدَّثتَ عن المحقِّق، وعن الزنزانة؛ أنا كل هذا؛ ليس هناك شخص بمفرد ذاته يمكن أن يكون بطلًا، لأنه في الحقيقة كلّ بطولات سواه. حاول مثلا أن تروي حكاية "النمر" وحده، أو "أم الوليد" وحدها، "نعمان" وحده، ما الذي سيحدث؟ سيكون كل منهم شخصية رئيسة وأنا الشخصية الثانوية. هل أدركت الآن ما معنى حكاية؟ وكيف يمكن أن تتحول إلى قَدَرٍ مُطلق اليد؟

وجد سليم نفسه وسط بحيرة هائلة من الصمت.

لم يقل كلمة واحدة، حتى وهو يرى ذلك الجسد الذي يعرفه تمامًا، يبتعد باتجاه البوابة الرئيسة مُغادرًا، وهو يجرُّ ساقه التي بدا لسليم أنها لم تتأخَّر عن جسده إلا لأنها تريد أن تقول شيئًا ما، لم يقُلْه صاحبُها.

حاول سليم أن يتذكّر فيما إذا كان لم يزل يعرج فوق الخشبة، أم لا، لم يستطع.

نظر حوله ولم يكن هناك سواه فوق الخشبة.

– لماذا لم تقل هذا الكلام في المسرحية أستاذ، إنه مهم، أحسستُ بأنه يتحدَّث عني! هل ستقوله غدًا؟!

أما سليم فكان يحاول ما استطاع أن يعرف فيما إذا كان هذا الكلام قد سمعه الآن، أم أنه سمعه من ياسين قبل هذا بكثير.

كان لا بدّ من أن يعود للمكتب، عاد.

تجاهله الدكتور كما لو أنه غير موجود. وحين همَّ بعد الظُّهر بالمغادرة، سمع رنين الهاتف على طاولة السكرتيرة.

توقَّف في مكانه، إلى أن سمعها تدعوه: الدكتور عاوزك.

عاد.

– مرحبًا.

تجاهل الدكتور تحية سليم.

– إذا أردت أن تعمل معي، فستعمل بشروطي، ولا تنس أن المسرحية للمكتب حسب العقد، أيْ أنها، بصورة أوضح لي شخصيًّا، لا أريدك أن تنسى أنك بعتني الحكاية بمجرد أن أنتجتها، ولا تنس أنني أُعيرك إياهـا الآن لتكون الصّورة التي أنت عليها. الصّورة التي تحبها.

– حاضر!

– انتهينا إذن.

الكلمة الأخيرة كانت كفيلة بأن تُبرِّد الحوار، رغم ما فيها مـن وعيـد، وخاصة أن الدكتور ألحقها بابتسامة أشرعت الموقف، بأكملـه، رغـم مـا فيه، على بوابةٍ بدا وكأنها أُقفلتْ للأبد منذ ليلتين.

أراحه هذا.

– على أي حال، قد لا يستمرُّ العرض هنا حتى نهاية الأسبوع.

قال الدكتور.

أفزعه هذا.

– ليس بسبب مهاتراتك المسرحيّة تلك الليلة وحسب، بـل يبـدو أن هناك عملية إسرائيلية كبيرة قادمة.

- هل الوضع خطير إلى هذا الحد؟ وجد سليم لسانه، فسأل.

- أكثر مما يتوقَّع أيُّ شخص هنا.

***

يعرف سليم أن الدكتور له في كلِّ عُرْس قُرْص، كما يقال، أنه موجود في كلّ مكان. تجرأ وسأل السؤال الذي يثير قلقه منذ ليلة أمس، ولكن صوته جاء متلعثما: هل أستطيع الحصول على مسدس، أو أيّ شيء من هذا القبيل.

- الذي يسأل عن مسدس يجب أن يسأل عنه بجرأة لا متلعثمًا. قلْ لي، تريد أن تنتحر أم تريد أن تقتلني؟!

تعثَّرت الكلماتُ أكثر: كنت أفكِّر في توقُّعاتك!

- هكذا إذن؛ لكن مسدّسًا لا يمكن أن يحميك ، أو أي سلاح آخر في المرحلة المُقبلة، سيجتاح الإسرائيليون كلّ شيء! أما إذا كنت مُصرًّا فالأسلحة أكثر من الهمِّ على القلب، وبإمكانك الحصول عليها حتى من الإسرائيليين كما تعرف. ما رأيك برشاش؟!

- أريد مسدّسًا لا أكثر. كم ثمنه؟ سأل متلعثمًا.

- اطمئن، لن يكلِّفك شيئًا، اعتبره هدية. بالمناسبة، أشقاؤنا الأجانب الذين موّلوا المسرحية يريدونك أن تقدّمها في جولة تشمل عواصمهم، وربما سواها. لا أحد يعرف ما الذي يخبئه لك المستقبل، ربما تصبح نجمًا عالميًا. "عمر الشريف" على أي حال ليس أكثر وسامة منك!

بإمكانك الذهاب الآن.

- شكرًا.

- بالنسبة لطلبك، يمكن أن تمرَّ هنا قبل العرْض، سيكون جاهزًا. السّابعة وقتٌ مناسب!!!

- شكرًا.

- ولكن لماذا تصرُّ على أن تمشي مشيته؟

- مَن؟

- ياسين!

- هل أفعل ذلك؟

اكتفى الدكتور بهزِّ رأسه

- أغلِق البابَ خلفك. قال لسليم.

- حاضر.

28

طرقت وردةُ بابَ أم الوليد. خرجت أم الوليد.

- أهلا وسهلا، شو بتؤمري يا بنتي؟

- سمعت أن عندكم شبّ غير متزوِّج!! قالت وردة.

- هو مش شب تمامًا. قالت أم الوليد مُستغربة، ثم أضافت: عايزة منه إشي؟!

- حتى لا يكون هناك خربطة، أريد أن أسألك، إسمه ياسين؟

- آه، إسمه ياسين.

- معنى ذلك إنّه شب!!

- بس، ضروري تشوفيه، قبل ما تتزوَّجيه!! وإلا شو رأيك؟!

- لأ، مش ضروري! هل هو موجود؟

هزّت أم الوليد رأسها نافيةً.

- إذا كان موجودًا، ولا يريد أن يخرج، فقولي له البنت راح تعلن إضراب مفتوح على باب داركم حتى تتزوَّجها!

- آخر كلام هذا؟ سألتها أم الوليد.

- آخر كلام!

- لو كان الشّخص الذي تسألين عنه غير ياسين، لقلت إنك مجنونة.

- الحمد لله. طمنتيني.

***

حين سمع ياسين كلامَ أم الوليد، راح يضحك ويضحك ويضحك.

فقالت أم الوليد: فأل خير إن شاء الله.

- وما الذي أوصلها للبيت؟

- المسرحيّة. قالت إنها رأتها وعرفتك، وهي متأكِّدة من أن الأصْلَ أحلى، وقالت إنها تَبِعَتْ نفسَها.

بعد صمت طال سألها: بس شو رأيك فيها؟

- بدّك الصَّحيح؟

- طبعًا الصَّحيح.

وصمتت أم الوليد فترة أطول من تلك التي صمتَها، ثم انتشرت ابتسامتها لتغمر وجهها كلَّه، قبل أن تقول: بدِّك الصَّحيح؛ حبّيتها.

فقال: كنتُ أريد أن أقول لك الكلام نفسه!

29

كان يكفي أن تنظر نورة إلى السماء ليطمئن قلبها، حيث الطائرة مُحلِّقَة، إلى جانب عدد آخر من طائرات الأولاد التي اضطّر ياسين أن يقوم بصنْعها بنفسه أيضًا. وشيئًا فشيئًا، أصبح كل صوت للرّصاص بعيدًا، حين تسمعه، ما دامت الطائرة تتمايل بألوانها بفرح.

لكن ذلك الهدوء كلّه تلاشى، حين اندفع الجيران نحو بيتها باكين، وهم يخبرونها أن ثلاثة أولاد أصيبوا برصاص جنود الاحتلال.

أوّل شيء فعلته، كي تتأكَّد من صِدْقِ كلامهم، أنها نظرت إلى السماء، وحين رأتها تتمايل عالية هناك، راحت تجري نحو كَرْم الزيتون حيث لا بدَّ أن يكون، لكنها حين وصلت، أبصرت ثلاث طائرات في السماء مربوطة خيوطها بأغصان الشّجر.

عادت. وجهًا لوجه وجدت نفسها مع أم الوليد وأبو الوليد، صرخت: نعيم! ولكنه كان أبعد بكثير من أن يسمع صرختها. وصرخت بصوت أعلى: ياسين. كما لو أنه أكثر بُعْدًا..

في طريقها إلى مستشفى رام الله، مُحاوِلَـةً اللحاق بسيارة الإسعاف، عرفت أن الأولاد كانوا يربطون طائراتهم، ويندفعون لإلقاء الحجارة على كلّ دوريّة إسرائيلية تمرُّ أسفل الشارع.

أمس أسرَّ نُعمان لياسين: جنود الحاجز يحاولون إسقاط طائراتنا!

- من قال لك هذا؟

- الرّصاص الذي أسمعه، والثُّقب الذي في الطائرة، أنظر!

ألقى ياسين نظرة سريعة على الثقب: قد يكون السّبب غصنًا أو أيّ شيء مشابه.

- مستحيل. هذه رصاصة (إم 16) بالتأكيد. لقد رأيت مثل هذا الثقب من قبل.

- أين رأيته، يا خبير الأسلحة؟

- رأيته في صدر أبوي، رأيت كثيرًا منه في صدر أبوي!

لم يهتد ياسين للكلمة التالية التي يمكن أن يقولها.

صمتَ طويلا.

- على أي حال، إذا ما أسقطوا الطائرة، وهذا ليس سهلًا، فكن مطمئنًا لأن لديك مصنعًا للطائرات هنا في البيت!

- هذا صحيح، لكن لا يبرر لهم إسقاط طائراتنا!

***

حين وصل ياسين ونعيم للمستشفى، كانت العائلة الصغيرة كلّها هناك أمام غرفة العمليات.

أخبروهما أنه أُصيب، وأن الأطبّاء يجرون له عملية جراحية.

ساعات طويلة مرَّت، قبل أن يخرج أحد الأطباء: العملية نجحت، ولكن الأمر صعب.. بيد الله.

حاولت نورة أن تدخل لتراه: ليس قبل ستِّ ساعات. قال لها الطبيب.

لكنهم بعد مرور الساعات السِّت لم يسمحوا لها أو لسواها بالدّخول.

- إذا استشهد احكوا لي!

- لو كان استشهد لقلنا لك، مثلما قلنا لأهل الطّفلين الآخـرَين. لقـد وصلا إلينا وقد فارقوا الحياة. رصاصة في رأس كلٍّ منهما.

استعاد ياسين جملة القناص للصحفية (إذا شـاهدتِ أطفـالًا كثيـرين أصيبوا في الرّأس فهذا فعلًا عمل قنّاص).

- الرصاصة أصابت ابنكم على بعد سنتمترين فقط من القلب.

***

في السّادسة والنصف من صباح اليوم التالي، بعد أكثر من خمس عشرة ساعة انتظار، سمحوا لاثنين بالدّخول، فدخلت نورة وياسين.

شاحبًا كان وجـه نعـمان، وبـدا الـصغير في اسـتلقاءته المُعَذِّبَـة تلـك، أصغَر.

رآه ياسين على تلـك الـصورة التـي أبـصره فيهـا للمـرّة الأولى، ابـن الرابعة: كما لو أنّ الرّصاصة التي حاولت اختطـاف عمـره كلّـه، حـين لم تنجح، اكتفت باختطاف نصف العمر. همس لنفسه.

بعد عشر دقائق فتح عينيه، قليلًا، بصعوبة، لكن ذلك كان كافيًـا كـي يريا تلك الخُضْرةَ التي اتّقدا خوفًا عليها.

عاد وأغمضهما من جديد.

خرج ياسين، ليُطمئن أم الوليد ويدعو أحدًا أن يدخل مكانه.

دخلت أم الوليد. بعد قليل خرجت باكية.

- إذا حدث للولد شيء سأقتل "شارون" بنفسي!

دخل نعيم. بعد دقائق، أطلَّ من باب الغرفة، أشار إلى ياسين، وحينما اقترب منه: قال له هامسًا.

- نُعمان يريدك.

- يريدني؟!

هزَّ نعيم رأسه.

حين أصبح فوق رأسه، وجد أنه عاد إلى غيبوبته أو نومه. فبقي قرب رأس السّرير ينتظر أن يصحو ثانية، غير قادر أن يبتعد بنظره عنه.

بعد وقت طويل، أحسَّ ياسين بعينَي نعمان تتحرَّكان تحت جفنيهما، كان ذلك وحده كافيًا كي تتَّقِدَ حواسّه كلّها في انتظار أن يفتحهما.

فتحهما أخيرًا، متعبتَين. ابتسم بوهن شديد.

- أترى، لم أمُتْ، كما وعدتك. ألم أقل لك لقد أخذتُ احتياطاتي؟!

وعاد ليغفو.

بكت نورة بصمت، أمسكها ياسين من يدها: الولد بخير فلماذا البكاء؟!

حين أصبحا في الخارج سألها: ولكن ما هذه الاحتياطات التي يتحدَّث عنها دائمًا.

- أنت لا تعرفها!

- لا. لا أعرفها.

- كان مقتنعًا دائمًا أنه إذا ما ارتدى أكبر عدد من الجرازي، فإن الرّصاص لن يستطيع اختراقها. تعامل مع الملابس كما لو أنها سترة واقية. وكان يقول لي دائما "لو أبوي كان يلبس يوم استشهاده ملابس أكثر لما استطاعوا أن يقتلوه"!

- لم يبق لديه الآن أيّ جرزاة صالحة في البيت!

أخيرًا وجدتْ نورة شفتيها فابتسمت: ولا واحدة.

- إذن فإن أوّل شيء عليّ أن أفعله هو أن أذهب لأشتري غيرها. قال ياسين.

في الطريق فكّر بإصرار الصغير على ارتداء كل تلك الملابس في الفترة الأخيرة. استعاد ملاحظته التي قالها لنعمان: كأن الدّنيا ستُثلج اليوم.

- مَنْ قال ذلك؟ ردَّ نعمان.

- الملابسُ التي ترتديها.

لكن نعمان اندفع خارج الحوْش دون أن يُعلِّق.

- كان سرُّه أمامي طوال الوقت ولم أره!

ابتسم ياسين، لكن ابتسامته تجمَّدت فجأة حين وجد نفسه وجهًا لوجه مع مُلْصق للمسرحية يتوسَّطه وجه سليم نصري في واجهة سوبر ماركت شهير.

30

عَبْرَ النافذة الصغيرة مدَّ ياسين يده وابتاع تذكرة لحضور المسرحية.

أحسَّ بأنه يفعل الأمر للمرّة الأولى.

حيّره ذلك.

في طريقه للبوابة فكَّر: ها أنت وصلت للزّمان الذي لا بدَّ لك فيه من شراء تذكرة حتى تتفرج على شبح حياتك.

أكثر من مرّة خطر لياسين أن الذكريات هي أشباح الأحداث السعيدة والحزينة التي عاشها المرء، الذكريات مجَّرد أشباح تحبّها فتستدعيها، أو تحاول دفعها بعيدًا، لكنك وأنت تحاول فِعْل ذلك، تستدعيها أيضًا. الذّكريات أشباح لا تلزمها تعاويذ خاصة كي تأتي وتذهب، ولا تلزمها جلسات تحضير.. ولم يكن يعرف أنه يُفكِّر مثل "وردة".

شبه معتمة كانت الصَّالة.

ليست بحاجة للعتمة كي تخرج من قمقمها أشباح الذكريات!

اختار مقعدًا في طرف الصفِّ الأوَّل، هذا يريحه، يُتيح له أن يمدَّ ساقه دون أن يُزعج أحدًا!!

في العتمة وجد نفسه، العتمة التي ما لبث نورٌ ضعيف أن سكنَها.

حيرته دائمًا هذه القدرة السّاحرة للضوء. مهما كان مصدره ضعيفًا إلا أن جلوسَ ليلةٍ بكامل عتمتها فوق صدر شمعة لا يكفي لسحق ضوئها. الزّمن هو الذي يستطيع قتل الشمعة وليست العتمة. هل يكون الزّمن حليف العتمة؟

- ابتعدتَ يا ياسين. همس لنفسه.

كان لا بدَّ من أن يصحو، ليتحسَّس المفاجأة التي هزّت جسده، ويرى تلك الدَّهشة التي زادت من اتساع عينَي ذلك الواقف فوق الخشبة مُحدِّقًا به، كما لو أنه يراه للمرّة الأولى.

لحظات طويلة تسمّر سليم في مكانه.

- كما لو أن الشَّبح يرى جسده أمامه قادمًا من الماضي، أو ربما من المستقبل. فكّر سليم.

أخيرًا استطاع التّحرُّك، المضيَّ أمامًا، إلى النّقطة التي ينطلِق منها.

الذي أدهش ياسين، أنه لم يعد يسمع ما يقوله ذلك الذي يتحرَّك على بُعد أمتار قليلة منه. لا يرى سوى حركاته، حركاته التي يعرفها، يعرفها تمامًا، وفي لحظة لا يدري كيف انبثقت واحتلَّت مخيَّلته. أحسَّ بأن الذي يراه هو شبحه، شبحه الذي لا يُشبهه تمامًا ويشبهه. شبحه العالي فوق الخشبة، الذي ترك كلَّ مَن في الصَّالة متجمِّدين أمام مفاجأة حضوره.

- لعله ليس شبحي وحدي، لعله شبحهم أيضًا.

صوت مفاجئ صعد من عتمة الصالة الشاحبة: هل نسيت الدَّوْر؟

- أيّ دوْر؟

همس الشَّبح المتحرِّك فوق الخشبة، حينما سمع صوت الشَّبح القابع في القاعة.

التفتَ ياسين خلْفه محاولًا أن يرى صاحب الصوت. لكن الذي حيَّره أنه أحسَّ بأن هذا الصوت يشبه صوته.

- يشبه صوتي! قال ياسين.

- يشبه صوته! قال سليم.

تحسّس ياسين شفتيه، لعلّه يلمِس أثرًا من بقايا الكلام الذي سمعه، شبحَ الكلام. لم يجد شيئًا.

شبح طويل، يضاعف طوله ارتفاع مستوى خشبة المسرح عن الصَّالة. لكنه ينسى، ينسى كثيرًا، الشبح ينسى، كالذِّكريات التي تَنسى، رغم أن اسمها ذكريات، تنسى أشياء كثيرة لا بد منها حين تجيء، تحضر الحكايةُ لكن جسدها لا يحضر، ولا تحضر كلّها، يحضر الحسُّ بالشيء لكنَّ الشيء نفسه لا.

- أهذا يكفي؟ سأل ياسين نفسه.

- يكفي أحيانًا. أجاب. أيَّ كارثة تلك التي يُمكن أن تعصف بالبشر لو أن الذِّكريات تأتي حاملة أجسادها معها. ستطردنا مِن كلِّ شيء، ماذا لو كنت تتذكّر ميتًا فيحضر، جرحًا فينمو على جسدك من جديد، رصاصة فتعبر أحد أعضائك، سجنًا فإذا بك داخله، حربا عالمية فإذا بها تدقُّ الباب!!

- ابتعدت يا ياسين. همس لنفسه.

***

حين أضيئت الصَّالة، أسفرتْ عن فراغ عميق، لم يعرف سليم معه متى خرج الناس، لم يعرف فيما إذا شاهدوا المسرحيّة حتى نهايتها أم لا، إن كانوا صفّقوا أم انسلّوا بعيدًا تاركينه وحده فوق الخشبة.

كان ينحني نعم، لكنه كان يسمع تصفيقًا، بدا له أنه لم يحدث هذه الليلة أبدًا، حدث في ليلة سابقة ربما، أما هذه الليلة فلا يمكن أن يكون قد حدث.

حتى ذلك الشّبح الذي رآه على بعد أمتار قليلة منه، وكان أكثر جرأة من أيِّ يوم مضى، اختفى. لم يكن هناك سوى ذلك الفتى الذي انحنى بين المقاعد وفي يده كيس بلاستيكيّ يزجُّ في داخله ما تبعثر من مخلّفات الجمهور بين الكراسي.

خطر له أن يسأله: متى خرج الناس؟ لم يستطع. كيف يسأل سؤالا كهذا؟

بسرعة انطلقَ عابرًا الكواليس، أشرع بوابة غرفة الملابس، استبدل ملابسه، انطلق على عجل، كان المسدَّس يتأرجح في جيب سترته. بعد ابتعاده عدة خطوات عن بوابة المسرح التي أقفلت وراءه من تلقاء نفسها، تذكَّر أنه لم ينظِّف وجهه من تلك الأصباغ، ورأسه من ذلك البياض الذي يُضاعف عمره.

في آخر الشارع رآه، عرفه من مشيته، وساقه التي تتأخَّر قليلًا، كما لو أنها تعرف ذاك المصير الذي ينتظره!

- لم أتوهَّم إذن.

تسارعت خطواته، لكنه اكتشف أن هناك ما يُعيقه، نظر سليم في العتمة نحو ساقه، وجدها تتأخَّر نصفَ خطوة عن ساقه الأخرى، حاول أن يسير كما يسير، لم يستطع، حاول أن يركض ليفكَّ أسرَ ساقه من خطوتها المتعثرة لم يستطع.

راحت المسافة بينهما تضيق. أراحه هذا. أراحه صمتُ الشوارع، خلوّها من الناس، عتمتها التي بدت أكثر حلكة.

لكن ما حيَّره أنه كان يركض خلف ياسين دون أن يُدرك السّبب.

ثلاثون مترًا، كانت على وشك أن تضيق أكثر، لكن أضواء سيارة كانت مُتوقِّفة في العتمة أضيئتْ فجأة، وحين همَّ ياسين بالدّخول إليها،

دوِّي انفجار أمامه، تسمَّر سليم في مكانه، وفي ذهوله العميق، رأى شبحًا هناك، تحت الضوء يرتفع ويهوي. شبح ياسين.

طائرات أباتشي، أم دبابات؟

سماعه لارتطام جسد ياسين بالأرض كان كافيًا ليُخرِجَه من ذلك الذّهول الذي التفَّ حوله كشرنقة؛ راح يجري نحو الوميض، في اللحظة التي أحسَّ فيها بأن عليه أن يتوقَّف خوفًا على حياته، لكنه ظلَّ يجري إلى ذلك الحدِّ الذي نسيَ معه إن كانت ساقه تجري مثل أختها أم مثل ساق ياسين الذي عاد يراه ثانية يتقلَّبُ في الهواء وسط الضّوء، كما لو أن الانفجار يعود ويُطوِّح به مرّة تلو أخرى كلما لامسَ الأرض.

وصل.

من بين الدماء التي غطَّتْ وجهَهُ، نظر ياسين إليه..

وكان بإمكان سليم أن يراها وقد تناثرت في المكان وجوه القتْلى المُطلَّة من بين ما تبقّى من نار الانفجار.

حدَّق فيهم. لم يكن هناك أثر للحياة.

أدار وجهه نحو الجهة التي جاء منها، تراجع خطوتين، وقبل أن يخطو الثالثة أحسَّ بشيء ما يشدُّه للوراء كي يعود. قدمه التي تُقلِّد مشية ياسين ربّما!

استدار ثانية، كان على بعد ثلاثة أمتار لا أكثر من وجه ياسين، الذي رآه يبتسم ابتسامة لم يعرف سليم سببًا لها أو معنى في لحظة كهذه. أغضبه ذلك، أغضبه كثيرًا، لكن ما فاجأه أنه كان هو نفسه، يبتسم الابتسامة ذاتها!

تحرَّكت أصابعه ببطء، كما لو أنها تُذكِّره بأن ثمة شيئًا هنا، في جيب سترته؛ أحسّه، باردًا ومعدنيًا. تلفَّتَ حوله، لم يصل، بعدُ، أحد؛ كان ثمة صوت سيارة إسعاف يقترب، وضجَّة تعود لتحتلَّ سماء المدينة بأكملها.

وعندما أخرج يده من جيبه، أطلَّت عين المسدَّس فارغة عمياء. تحرَّكت الفوهةُ باتجاه ذلك الرَّأس، واستقرت تمامًا في منتصف تلك الابتسامة.

انفجر دويّ الرّصاصة، فبدت الابتسامة قبل أن تنطفئ للأبد، أكثر اتِّساعًا في ضوء ذلك الوميض الوحشيّ.

استدار سليم، راح يركض في الاتجاه الذي جاء منه، في الوقت الذي راح أناس يجرون عكس جريانه، يسألونه، ماذا حدث؟ فيكتفي بأن يبتعد أكثر، دون أن تُفارق إذناه وقْعَ أقدام البشر الذين راحوا يتدافعون من كلِّ صوب نحو موقع الانفجار.

بعد النهــاية

تحت شمس الظهيرة المتفلّتة من بين الغيوم، وأمام شجرتيّ اللوز اللتين تُظللان السّاحة التّحتا المُدمَّرة لبيتها، وعلى مرأى من رفٍّ طيور الـدّوري الذي انتشر يراقب الطريق بحذر، مُنتظرًا خلوَّ الساحة مـن الأولاد؛ مِـن هناك، من فوق ما تبقّى من أسلاك أعمدة الكهرباء، حدَّقتْ أم الوليـد في البعيد، مرَّتْ بنظرها فوق حفنة الأولاد الذين يلعبون في السّاحة الترابيّة، كانوا أقلَّ عددًا من أيّ يوم مضى، ألقتْ نظرةً على الـسّماء العاليـة، رأتهـا هناك مُحلِّقة، ثلاث طائرات ورقية، الطائرات التي يعمـل نُعـمان عـلى ألّا تلامسَ الأرض، ابتلعتْ غصَّتها. استدارت بعينيها نحـو شُـبّاك جارتهـا القريب، الشُّباك الذي اقتلعته قذيفة ممزِقَةً مَنْ خلْفه من أولاد، في الوقـت الذي كانت أمهم تعدُّ لهم إفطارهم المدرسيّ.

عادت أم الوليد تحدّق في البعيد، رأت الأولاد يلعبون، رأتهم هذه المرَّة فعلًا يلعبون، كأنَّ بهجة اللعب الأولى لم تغادر أرواحهم في أيِّ يوم.

لم تكن تعرف العدد الكافي الذي يتيح للأولاد أن يكونوا فريقين، ولهم كُرة يلاحقونها. وحدّقت في البعيد أكثر..

لمكانها أعادتها صيحاتُ الأولاد، فمرَّتْ نظرتها سريعًا بينهم، إلى أن استقرَّتْ عند الطرف الثاني للساحة، حيث أبو الوليد، ومجموعة من الرِّجال المُنهمكين في أحاديث تكاد تسمعها، لفرط ما تعرفها.

مائة وخمسون مترًا، مائتان، تلك التي تفصل بينها وبينهم لا أكثر.

صوت تعرفه أعادها إلى بداية الشارع، كانت دوريّة الجنود، أربع سيارات عسكرية تصعد الطريق نحوها، تاركة المنعطف في سواد دخانها: ها هم يُعيدون احتلال كلِّ شيء من جديد.

مرَّ أمامها وجه ياسين، نظرتْ إلى السّاحة المدمَّرة، لم تره فيها.

أعادها صوت السيارات العسكريّة للشارع، السيارات التي حاذت البيت، وعلى بعد أمتار من زاويته الشمالية توقّفت.

لكن الأولاد لم يُوقفوا اللعب، واصلوا، كما لو أنّ المكان كان خاليًا من الجنود منذ الأزل. وفوق الأسلاك، كان يمكن أن تُلاحظَ الحذر الذي دبَّ فجأة في أجنحة العصافير ولفتاتها.

عادت أم الوليد بنظرها إلى الطرف الآخر من السّاحة، كان الرّجال قد توقّفوا عن الكلام، لإحساسهم أن شيئًا ما يدور في الجهة المقابلة، لا يعرفون عنه شيئًا، لكن ما طمأنهم قليلًا أن الأولاد ما زالوا يلعبون.

رأتْ يدَ أبي الوليد تُلوِّح لها في البعيد، لوَّحتْ له، راقب الجنود حركة يديها، ومرَّ وجه ياسين ثانية، لكنّه لم يختف هذه المرَّة، رأته يهبط الدَّرجات نحو الساحة التّحتا، وللحظة رأت الساحة كما كانت دائمًا، خضراء وخارج وحشتِها.

سمعتْ جريان صوتها في جسدها، كالنّهر، صاعدًا من أعماق قلبها، مالئًا رئتيها، نادت: أبو الوليد.

سمعتْها "نورة" و "وردة"، خرجتا، وقفتا خلْفها، كما لو أنهما جناحان انبثقا فجأة من بين كتفيها.

نادت ثانية: أبو الوليد.

ومن الطرف الآخر، جاءها صوته، كما لو أنه كان ينتظر نداءها من زمن بعيد: شو في؟

- بحبَّك يا أبو الوليد. بحبَّك!

راح الجنود يراقبون هذه المرأة العجوز التي تصرخ لرجلها، وترتدُّ أنظارهم للطرف الآخر وهم يسمعون صوته ثانية: شو؟

- بحبَّك. أعادتها من جديد.

هزَّ أبو الوليد رأسه، ضاقت عيناه قليلًا، التمعتا ببريق غير عادي، وهو يتصفّح وجوه من معه من الرِّجال.

رفع رأسه، كان الأولاد قد أوقفوا اللعب، ولم تعرف طيور الدوري إلى أيٍّ جهة ستنظُر، أطلقَ تنهيدة عميقة..

أما الجنود فقد حبسوا الأنفاس.

أدرك أبو الوليد أن العالم كلّه في انتظاره، حدَّق في الجهة البعيدة، حيث المرأة السَّروة تنظر. وصرخ.

- بحبِّك يا أم الوليد!

- شو؟! ردَّت، رغم أنها سمعتْها واضحة، ردَّت، لأنها تريد سماعها مرّة وأخرى وأخرى.

- بحبِّك!

وهدأ كل شيء

راقبَ الصمتَ الذي خلَّفه صوتُه في الفضاء، كان كاملًا، لم يكن ثمة أثر للصدى. "لقد وصلتْ كلُّها إليها"، تمتم لنفسه فرِحًا وهو يعود لكرسيّه. في الوقت الذي راح قائد الدورية يهزّ رأسه باستغراب : عجوز، عجوزة، بِصَرِّخْ، بخبَّك. فلسطينيين مجانين. فلسطينيين مجانين.

وكما لو أن السَّروة راحت تعلو في داخلها، وجدت نفسها أكثرَ ارتفاعًا من أيِّ يوم مضى.

ألقتْ نظرة حنان طويلة نحو الطرف الثاني للساحة، ثم راحت تراقب الدَّورية وهي تختفي...

في الملهاة وجذورها

لَهَا بالشيء، لهوا: أولع به.

لَهَا، لِـهْيانا عن: إذا سلوتَ عنه وتركت ذكره وإذا غفلت عنه.

ولَـهَت المرأةُ إلى حديث المرأة: أَنِست به وأعجبها.

قال تعالى (لاهية قلوبهم) أي متشاغلة عما يُدعَونَ إليه. وقال (وأنت عنه تلهّى) أي تتشاغل.

وتلاهوا: أي لها بعضهم ببعض.

ولهوت به: أحببته.

والإنسان اللاهي إلى الشيء: الذي لا يفارقه. وقال: لاهى الشيء أي داناه وقاربه. ولاهى الغلامُ الفطامَ إذا دنا منه.

واللُّهوْةُ واللُّهْيةُ: العَطِيَّة. وقيل: أفضل العطايا وأجزلها.

(لسان العرب)

إبـراهيم نصر اللـه

ـ مواليد عمّان من أبوين فلسطينيين أقتلعا من أرضهما عام 1948

صدر له شعرًا:

الخيول على مشارف المدينة 1980 . المطر في الداخل 82. الحوار الأخير قبل مقتل العصفور بدقائق 84. نعمان يسترد لونه 84. أناشيد الصباح 84. الفتى النهر والجنرال 87. عواصف القلب 89 .حطب أخضر 91. فضيحة الثعلب 93.الأعمال الشـعرية- مجلد يضم تسعة دواوين 94.شـرفات الخريف 96. كتاب الموت والموتى 97. بسم الأم والإبـــن 99. مـرايا الملائكـة2001. حجرة الناي 2007. لو أنني كنت مايسترو2008

الروايـــات:

براري الحُمّى 1985 . الأمواج البرية 88 .عَــوْ 90 . مجرد 2 فقط 92. حارس المدينة الضائعة 98. شرفة الهذيان 2005. شرفة رجل الثلج 2009

الملهاة الفلسطينية : زمن الخيول البيضاء، طفل الممحاة، طيور الحذر، زيتون الشوارع، أعراس آمنة، تحت شمس الضحى.

كـتب أُخرى:

- هزائم المنتصرين - السينما بين حرية الإبداع ومنطق السوق 2000
- الفن والفنان - كتابات جبرا إبراهيم جبرا في الفن التشكيلي 2000
- ديـواني - شعر أحمد حلمي عبد الباقي. إعداد وتقديم 2002
- السيرة الطائرة: أقل من عدو، أكثر من صديق 2006
- صور الوجود ـ السينما تتأمل 2008
- ترجم عدد من أعماله الروائية إلى الإنجليزية، الإيطالية، الدنماركية، ونشرت مختارات من قصائده بالإنجليزية، الفرنسية، الألمانية، الإسبانية، الإيطالية..
- أقام ثلاثة معارض فوتوغرافية وشارك في معرض (كتّاب يرسمون) معرض مشترك لثلاثة كتّاب- عمان 1993
- نال سبع جوائز عن أعماله الشعرية والروائية من بينها:

جائزة عرار للشعر 1991 .جائزة تيسير سبول للرواية 1994

جائزة سلـطان العـويس للشـعر العربي 1997